UTB

Eine Arbeitsgemeinschaft der Verlage

Birkhäuser Verlag Basel und Stuttgart
Wilhelm Fink Verlag München
Gustav Fischer Verlag Stuttgart
Francke Verlag München
Paul Haupt Verlag Bern und Stuttgart
Dr. Alfred Hüthig Verlag Heidelberg
J. C. B. Mohr (Paul Siebeck) Tübingen
Quelle & Meyer Heidelberg
Ernst Reinhardt Verlag München und Basel
F. K. Schattauer Verlag Stuttgart-New York
Ferdinand Schöningh Verlag Paderborn
Dr. Dietrich Steinkopff Verlag Darmstadt
Eugen Ulmer Verlag Stuttgart
Vandenhoeck & Ruprecht in Göttingen und Zürich
Verlag Dokumentation München-Pullach
Westdeutscher Verlag/L

Wolfgang Preisendanz

Heinrich Heine

Werkstrukturen und Epochenbezüge

Wilhelm Fink Verlag München

ISBN 3=7705=0888=2

© 1973 Wilhelm Fink Verlag, München
Satz und Druck: Rischmöller & Meyn, München
Buchbindearbeiten: Großbuchbinderei Sigloch, Stuttgart
Einbandgestaltung: Walter Krugmann, Stuttgart

INHALT

Vorwort 7

Heinrich Heines Dichtertum 11

Der Funktionsübergang von
Dichtung und Publizistik 21

Der Sinn der Schreibart in den Berichten
aus Paris 1840 - 1843 'Lutezia' 69

Die Gedichte aus der Matratzengruft 99

04688

Daß es noch immer eine heikle und mißliche Sache sei, in Deutschland über Heine zu schreiben, ist allgemach eher eine der Publizistik lieb gewordenen Vorstellung als eine Tatsache. Man kann den Eindruck gewinnen, die Denunziation eines anhaltenden deutschen Ressentiments gegenüber Heine werde blindlings durchgehalten, weil sie den perspektivischen Punkt für die allgemeine Denunziation deutscher Geistesgeschichte, Bildungstradition und Nationalkultur abgeben kann. Indessen scheint mit der Zeit der Punkt gekommen zu sein, da das vordem gewiß berechtigte Anprangern des Ressentiments gegenüber Heine sich als polemisches Klischee, als gesellschafts- und kulturkritisch opportune Fiktion auszunehmen beginnt, wo das Pochen auf Ressentiments Gefahr läuft, selbst zum Ressentiment zu werden.

Die hier zusammengestellten Beiträge zu Heine stehen nicht im Kontext einer Bewältigungs- oder Wiedergutmachungsauflage, auch wenn der erste, als Blick auf das Ganze, zu einer Zeit und bei einer Gelegenheit entstanden ist, da das "Nicht gedacht soll seiner werden!" in der Tat noch ausdrücken konnte, wie skandalös es um Heine wenigstens in der Bundesrepublik Deutschland allenthalben stand. Jedoch wenn bei diesen Beiträgen ein Wiedergutmachungsgedanke im Spiel war, so einzig der, Heines enormer literarischer Stellung und Bedeutung im Bezugsrahmen der aktuellen literaturtheoretischen und literarhistorischen Probleme, Methoden und Interessen gerecht zu werden.

Denn mittlerweile hat auch die deutsche Heine-Forschung nach Zahl und Gewicht einen Standard erreicht, der die Behauptung eines gestörten Verhältnisses zu Heine wenigstens für den wissenschaftlichen Bereich entkräftet. Freilich bleibt in der publizistischen Heine-Diskussion ein Großteil der Bemühungen um Heine außer acht, weil nur von selbständig erscheinenden Büchern oder von an prominentester Stelle publizierten Artikeln Notiz genommen wird, nicht aber von Aufsätzen im Gros der wissenschaftlichen Zeitschriften und Sammelwerke. Man versteift sich oft auf ein Forschungsdefizit aufgrund des eigenen Informationsdefizits. Allerdings erschwert die Zerstreutheit und oft Entlegenheit solcher Aufsätze den Überblick, die Kenntnisnahme, die Prüfung und Kritik. Diesem Umstand, soweit er meine eigenen Beiträge betrifft, abzuhelfen ist mit ein Motiv des vorliegenden Bandes.

Natürlich ersetzt eine solche Aufsatzsammlung nicht die zusammenschließende, integrierende, verbindende Leistung eines ausgereiften und gegenstandsadäquaten Heine-Buchs, auf das sich nach manchen Enttäuschungen noch immer so viele Erwartungen richten. Aber selbst wer sich ein solches vorbehält, der sieht sich genötigt, vorab einzelne fällige, aktuelle, ihm wichtige Themen und Perspektiven unverzüglich in der hierfür geeigneten Form des Aufsatzes für Forschung und Lehre mitzuteilen, zur Kontrolle und Kritik zugänglich zu machen. Und die Zusammenstellung solcher Beiträge sollte, auch wenn sie sich nicht zur Monographie zusammenschließt, aufgrund der Auswahl der Probleme und Gesichtswinkel doch einen den jeweiligen Beitrag übergreifenden Zusammenhang der Hinsichten und Ergebnisse erweisen. Auch dürfte ein verbindendes Moment dadurch gegeben sein, daß sich die drei größeren Aufsätze mit Problemen befassen, die bislang auffällig vernachlässigt oder ausgeklammert blieben.

An der Bestimmung dieser Zusammenstellung lag es, daß von einer nennenswerten Überarbeitung der bereits gedruckten Beiträge abgesehen wurde. Auch die einige Jahre zurückliegenden sind in bezug auf den Stand der Heine-Forschung wie auf die kritische Rezeption meiner Argumente und Thesen noch zu jungen Datums, als daß für diese Sammlung Auseinandersetzung, Korrektur oder Widerspruch schon sinnvoll gewesen wäre.

Der erste Beitrag wurde als Gedenkrede für eine Heidelberger Heine-Feier am Vorabend der hundertsten Wiederkehr seines Todestages verfaßt; er erschien in: *Ruperto-Carola*. 8. Jg., Bd. 19, Juni 1956. S. 70–74. Der zweite Beitrag wurde als Vorlage zum dritten Kolloquium der Forschungsgruppe Poetik und Hermeneutik 1966 geschrieben; er erschien unter dem Titel 'Der Funktionsübergang von Dichtung und Publizistik bei Heine' in: *Poetik und Hermeneutik III: Die nicht mehr schönen Künste. Grenzphänomene des Ästhetischen*. Hrsg. von H. R. Jauss. München (Fink) 1968. S. 343–374. Der dritte Beitrag erschien erstmals unter dem Titel 'Der Sinn der Schreibart in Heines Berichten aus Paris 1840–1843 *Lutezia*' in: *Deutsche Weltliteratur von Goethe bis Ingeborg Bachmann. Festschrift für J. Alan Pfeffer*. Hrsg. von K. W. Jonas. Tübingen (Niemeyer) 1972. S. 115–139. Der letzte Beitrag wird hier erstmals in deutscher Sprache veröffentlicht; eine vom Anmerkungsapparat entlastete Fassung in serbokroatischer Sprache, übersetzt von meinem verehrten Kollegen Zdenko Škreb, wird etwa gleichzeitig in *Umjetnost Riječi*, Zagreb, Heft 1/1973, erscheinen.

Am 16. Februar vor hundert Jahren, am Vorabend seines Todestages, vernahm in Paris die Krankenschwester Cathérine Bourlois die letzten Worte Heinrich Heines. Wir lesen in ihrem Bericht:

> . . . nachmittags zwischen 4 und 5 Uhr flüsterte er dreimal das Wort: "Schreiben". Ich verstand ihn nicht mehr, antwortete aber: "Ja". Dann rief er: "Papier — Bleistift . . ." Dies waren seine letzten Worte. Die Schwäche nahm zu, und der Bleistift entfiel seiner Hand.

In seinen Memoiren schreibt Heine einmal von seiner Mutter: "Sie hatte nämlich damals die größte Angst, daß ich ein Dichter werden möchte; das wäre das Schlimmste, sagte sie immer, was mir passieren könne." Noch die letzten Worte des Sterbenden bezeugen, in welchem Maße diesem Menschen dieses Schlimmste passierte. Lassen Sie mich also heute in der knapp bemessenen Zeit versuchen, dieses Dichtertum des Toten zu umreißen. Anderen mag es wichtiger sein, seine proteusartigen Gedanken und Meinungen festzuhalten zu versuchen; wieder anderen mag er als Kronzeuge weltanschaulicher oder politischer Ideen wichtig sein. Ich fühle mich bei der Beschränkung auf seine Dichtung legitimiert durch seine eigenen Worte: "Ich sterbe als ein Dichter, der weder Religion noch Philosophie nötig hat und der mit keiner von beiden etwas zu schaffen hat."

Erlauben Sie aber auch, daß ich auf eine Lebensbeschreibung dieses seltsamen Menschen verzichte, der sich ein Leben lang niemandem eigentlich zugehörig fühlte als seiner Mutter, der im später widerwillig preußischen Rheinland unter französischer Besatzung, im Schatten der Revolution und dann Napoleons, aufwuchs, der ungern ein juristisches Studium mit genauer Not absolvierte, der mit frühem Dichterruhm der erste Jude seit der Emanzipation war, der im deutschen Geistesleben eine Rolle spielte, und der dann ab 1831 in Paris lebte "wie der Fisch im Wasser".

Verzichten muß ich auf eine Darstellung seiner Wirkungen, an die Nietzsche dachte, wenn er Heine mit Goethe, Hegel und Schopenhauer den letzten Deutschen nannte, der ein europäisches Ereignis war. Die karge Zeit ließe hier nur Aufzählungen zu.

Schließlich muß ich übergehen ein Kapitel "Heine und die Deutschen", in dem die Frage gestellt und beantwortet werden müßte, warum das Werk dieses, wie wieder Nietzsche meinte, einzigen deutschen Dichters neben Goethe, das doch, wie wir heute wissen, zu einem Katalysator ersten Ranges für die französische Geistigkeit geworden ist, seinem Volke im Wesentlichen unzugänglich blieb. Beim Unbehagen der Deutschen gegenüber Heine spielen der Nationalsozialismus und jede Form des Antisemitismus eine sekundäre Rolle; die entscheidenden Motive liegen viel tiefer in der Bildungs- und Geistesgeschichte des deutschen Bürgertums und der von ihm exponierten geistigen Elite. Wenn man bedenkt, welche Bedeutung nach der Jahrhundertwende der wiederentdeckte Hölderlin für diese Elite gewann, mag verständlich werden, warum der Weg zu Heine immer weiter werden mußte; er könnte übrigens wieder näher werden, wenn man einmal erkannt hätte, wie nahe sich die Ausgangspunkte dieser beiden scheinbar in allem so antipodischen Gestalten liegen.

Heines dichterische Existenz markiert eine ungeheure Bruchstelle, die durch die ganze erste Hälfte des vergangenen Jahrhunderts klaffte. Aufgetan hatte sich der Bruch zwischen Geist und Wirklichkeit, zwischen Idee und Alltag, zwischen Tradition und Zukunftserwartungen. Die Grundlagen des religiösen, geistigen und gesellschaftlichen Lebens brachen ein; aber der Strom der Großen Revolution, der diesen Boden ins Wanken gebracht hatte, war untergründig geworden; versickert drängte er, das Alte immer weiter unterspülend, Entscheidungen und Resultaten zu, die erst in der zweiten Hälfte des Jahrhunderts und noch später sichtbar werden sollten. Die große Zeit schien auf St. Helena zu Ende zu sein, das Neue, das sie gebären sollte, blieb ungewiß und dunkel; die kleine, banale, geschichtslose Gegenwart aber ließ jene geistige Not entstehen, die bei Byron als Weltschmerz, bei Stendhal als Ennui gefaßt wird, die in Gogols Romantitel 'Tote Seelen' gegenwärtig ist. Hier reiht sich Heine ein, wenn sich ihm die Erfahrung jenes Bruches in die Formel von der Zerrissenheit verdichtet. Die Zerrissenen, so nannten sich Intellektuelle und Literaten, die die Einheit der Existenz aufgespalten fühlten durch den Bruch der Epoche, und für Heine vor allem wird dieses Wort geeignet, die Grunderfahrung des Daseins deutlich zu machen:

Ach teurer Leser, wenn du über jene Zerrissenheit klagen willst, so beklage lieber, daß die Welt mitten entzwei gerissen ist. Denn da das Herz des Dichters der Mittelpunkt der Welt ist, so mußte es wohl in jetziger Zeit jämmerlich zerrissen werden. Wer von seinem Herzen rühmt, es sei ganz geblieben, der gesteht nur, daß er ein prosaisches weitabgelegenes Winkelherz hat. Durch das meinige aber ging der große Weltriß, und eben deswegen weiß ich, daß die großen Götter mich vor vielen anderen hoch begnadigt und des Dichtermärtyrtums würdig geachtet haben.

Wie rasch verständigt uns diese Selbstauslegung über die vielfache Art, die maladie du siècle am eigenen Herzen zu erfahren und auszusprechen: in der Entzauberung, in der Desillusionierung, im Hohn, im Zynismus, in der Rebellion, in der Lästerung. Liegt im bunten Wechsel all dieser Haltungen nicht das, was uns an Heine vertraut ist und was ihn immer wieder zum Ärgernis gereichen ließ? Nennt man ihn nicht oft genug den zersetzenden Heine, dem letztlich doch die alles bindende Gesinnung fehle? Aber er hat eben kein weitabgelegenes Winkelherz gehabt und konnte sich nicht dessen rühmen, sein Herz sei ganz geblieben. Die Frage nach der tragenden Gesinnung oder gar nach der "aufbauenden" Gesinnung geht einfach an der Grunderfahrung dieses Dichtertums vorbei: an dem mitten durch das Herz gehenden großen Weltriß. Diese Dichtung konnte nicht mehr eine große Konfession sein, wie Goethe sein Dichten verstanden hat, nicht mehr schöpferische Gestaltung einer individuellen und doch universal gültigen Welt aus der Einbildungskraft. Die Gnade des Dichtermärtyrertums ist das Erleiden einer kranken Welt, deren Kranksein im Herzen des Dichters ausbricht und akut wird. Krankheit des Herzens und Krankheit der Welt ist nicht zufällige Übereinstimmung; weil das Herz des Dichters der Mittelpunkt der kranken Welt ist, ist Krankheit die Quelle der Dichtung, des Geistes überhaupt: "Die Dichtung ist eine Krankheit, wie die Perle eine Krankheit ist, an der die arme Muschel leidet" hat Heine einmal gesagt. In einer seltsam über Nietzsche auf Thomas Mann, aber auch auf den französischen Symbolismus vordeutenden Weise wird hier der Geist zum Gegenspieler des Lebens, werden Krankheit, Leiden, Verfall zum Ursprung des Schöpferischen und damit zum menschlich Auszeichnenden, Adelnden:

Kranke Menschen sind immer wahrhaft vornehmer als gesunde;

denn nur der kranke Mensch ist ein Mensch, seine Glieder haben eine Leidensgeschichte, sie sind durchgeistet.

Das Gesunde ist roh, brutal, ordinär, dumpf; das Leiden aber, die Passion macht den eigentlichen Adel des Menschen aus: damit ist nicht nur Heines biographisches Geschick, sondern auch Art, Gestalt und Umkreis seiner dichterischen Erfahrungen bestimmbar.

Seine Dichtung macht die maladie du siècle sichtbar, aber nicht von außen, nicht mit dem Pathos des Anklagens oder Verlachens. Die "große Krankheitsperiode der Menschheit" wird zur Selbsterfahrung; das enfant perdu macht seine Dichterexistenz radikal zum Instrument, aus dem der Mißklang laut wird:

> Ich bin nicht dazu geeignet, ein Kerkermeister meiner Gedanken zu sein. Bei Gott! ich laß sie los. Mögen sie immerhin sich zu den bedenklichsten Erscheinungen verkörpern, mögen sie immerhin wie ein toller Bacchantenzug alle Lande durchstürmen, mögen sie mit ihren Thyrsusstäben unsere unschuldigsten Blumen zerschlagen, mögen sie immerhin in unsere Hospitäler hereinbrechen und die kranke alte Welt aus ihren Betten jagen — es wird freilich mein Herz sehr bekümmern und ich selber werde dabei zu Schaden kommen! Denn ach, ich gehöre ja selber zu dieser kranken alten Welt ... Ich bin der Krankste von euch allen und um so bedauernswerter, da ich weiß, was Gesundheit ist. Ihr aber, ihr wißt es nicht, ihr Beneidenswerten! Ihr seid kapabel zu sterben, ohne es selbst zu merken.

Die kranke alte Welt aus ihren Betten zu jagen — aus dieser Vorstellung lebt zunächst einmal Heines Prosa, jene "moderne Schreibart", wie sein Zeitgenosse Heinrich Laube sagte, die einen ganz neuen Prosastil des 'Feuilletonismus' begründen sollte und deren verhängnisvolle Auswirkungen Karl Kraus in seinem Aufsatz 'Heine und die Folgen' am schärfsten bezeichnet hat. Der "Ultraismus der Subjektivität" und der radikale Wille zur Aktualisierung lassen keine in sich gegründete epische Welt, keinen epischen Mikrokosmos zu. In die Brüchigkeit der vorhandenen Welt dringt der Witz, der subjektive Einfall ein, alle Formen des Witzes wie Aperçu, Glosse, Wortspiel, Vergleich legen sich als Minen in die Risse der zeitgenössischen Wirklichkeit und sprengen sie auf; der gefährliche Reiz dieser neuen Prosa beruht auf der aggressiven Beweglichkeit eines Witzes, der alle festen Vorstellungen, allen Glauben an Gewißheit und Dauer, alle höheren Ansprüche und alle höheren Werte mit den illusionslosen Alltagserfahrungen und mit einer trivialen Wirklichkeit konfrontiert und fragwürdig erscheinen läßt. An die Stelle einer in sich ruhenden epischen Welt setzt Heines Prosa die Subjektivität der persönlichen Perspektive, des momentanen Aspektes, der aktuellen Sehweise; niemals erscheint das Ganze, nie begegnet eine das Wesen erschöpfende Gestaltung; an allen seinen Perspektiven ist etwas Wahres, nie sind sie die Wahrheit. Die Meisterschaft auf der Ebene des Reisebildes, des Berichtes, der Glosse, das Fehlen aller zu Ende geführten erzählerischen Formen bezeugen diesen ausschließlich perspektivisch-anleuchtenden und niemals aus der Einbildungskraft heraus gestaltenden Charakter, den Relativismus seiner Prosa.

Aber dafür kann diese Prosa eine ganz neue, bis dahin unbekannte aktivistische Bedeutung gewinnen. Daß die Welt die Signatur des Wortes sei, war wohl Heines stolzestes und anmaßendstes Wort; aber Wort ist an dieser Stelle nicht als Logos gedacht, sondern in einem fatalen Sinne als Formulierung. "Der Gedanke, den wir gedacht ... will Tat, das Wort will Fleisch werden." Diese Vorstellung ist nicht mehr auf die geistige Dynamik des Wortes schlechthin, sondern entschieden auf die politische Dynamik bewegender Formulierungen bezogen; und so sieht Heine seinem Wandel eine unheimliche vermummte Gestalt folgen und hört sie sprechen:

> Du bist der Richter, der Büttel bin ich,
> Und mit dem Gehorsam des Knechtes
> Vollstreck ich das Urteil, das du gefällt,
> Und sei es ein ungerechtes.
> ...
> Ich bin dein Liktor, und ich geh
> Beständig mit dem blanken
> Richtbeile hinter dir — ich bin
> Die Tat von deinem Gedanken.

Die ursprüngliche Zerrissenheit des Daseins läßt auch für die lyrische Dichtung keine einheitliche Erfahrung, kein ungebrochenes inneres Erleben zu: "es will mich bedünken, als sei in schönen Versen allzuviel gelogen worden, und die Wahrheit scheue sich, in metrischen Gewanden zu erscheinen" heißt es in einer Vorrede zum *Buch der Lieder*. Was aber ist diese Wahrheit? Das eben, daß die Erfahrung des Bruches, des Risses, des Kontrastes, der Zweideutigkeit, der Widersprüche alles einheitliche Aussagen aufsprengen muß. In den Traum dringt die öde Alltagserfahrung ein, in die Leidenschaft die zersetzende Banalität, die Idee verzerrt sich im Spiegel der Realität zur Grimasse, Gefühl und Stimmung zerfließen in schale Ernüchterung. Schon die romantische Ironie verwies auf die Diskrepanz von Poesie und wirklichem Leben. Heine hat diese Diskrepanz weitgehend zum Grund seiner Lyrik gemacht; immer wieder sah er sich genötigt, dem poetischen Moment die Übermacht des wirklichen Lebens gegenüberzustellen und den Bruch zwischen Poesie und Faktizität lyrisch auszusprechen. Was von den 'Jungen Leiden', dem ersten Gedichtskreis im 'Buch der Lieder', über die 'Lamentationen' und die Gedichte 'Zum Lazarus' bis zu den letzten aus der Matratzengruft die durchgehende Einheit stiftet, ist die von dem Weltriß zeugende Ironie als einzig mögliche Form der Aussage.

"Alle seine Gedichte entspringen seinem Mundwinkel" sagte Alexandre Weill, einen an Heine viel beobachteten äußeren Zug des Mundverzerrens auf die innere Physiognomie seiner Gedichte beziehend. In der Tat faßt dieses Bonmot in wünschenswerter Klarheit jene schwer deutbare unlösliche Verbindung von Hohn und Schmerz, Scherz und Trauer, Begeisterung und sofort eindämmender Verachtung, Spott und Verzweiflung, Sentimentalität und Zynismus, die in seinen Gedichten begegnet und die seine "Mouche", Camilla Selden, im Bericht über seine letzten Tage nochmals wachruft, wenn sie sich erinnert, wie das Lächeln des Mephistopheles über ein Christusantlitz geglitten sei. Gewiß, in den früheren Werken, die zum Schaden eines echten Heineverständnisses seine populärsten werden sollten, mag dieses Entstehen der Gedichte aus einem Zucken der Lippen noch willkürliche Grimasse, Koketterie mit durchaus nicht existenziellen Schmerzerfahrungen gewesen sein:

> Und wenn das Herz im Leibe ist zerrissen,
> Zerrissen und zerschnitten und zerstochen —
> Dann bleibt uns noch das schöne gelle Lachen.

In solchen Versen ist noch viel Larve, Maskerade, Drapierung; noch verzerrt die Pose die echte Gestalt des Schmerzes in oft peinlich komödiantischer Weise. Wie früh dies Heine selbst gespürt hat, davon zeugt die Strophe:

Ach Gott, im Scherz und unbewußt
Sprach ich, was ich gefühlet;
Ich hab mit dem Tod in der eignen Brust
Den sterbenden Fechter gespielet.

Es gehört zu der eigenartigen Redlichkeit Heines gegen sich selbst, daß er auch wo er sich lyrisch der überkommenen romantischen Gemüts-, Gefühls- und Stimmungsgehalte in einer sentimentalen Weise bemächtigte, die sentimentale Komödie als solche ironisch spürbar machte. Nietzsche hat einmal die Forderung nach Redlichkeit gegen sich selbst als ein Erfordernis der Reinlichkeit bezeichnet und dabei gesagt: "Heinrich Heine *hat* etwas Reines". Und wenn des "entlaufenen Romantikers" Heine Spiel mit dem "Gemütskehricht" der Romantik vor allem im Buch der Lieder als bare Münze genommen wurde und wird, so ist dies nicht Heines Schuld, sondern die des deutschen Publikums, dem der Zugang zu den echten Gehalten der Romantik zu schwierig geworden war und das die Scharlatanerie, wie es Heine selbst nannte, des "Leise zieht durch mein Gemüt liebliches Geläute" nicht mehr erkannte, weil echte Gefühlsgehalte auf Seiten des Publikums durch eine allerdings gänzlich unironische Sentimentalität ersetzt waren.

Aber alles Spielen mit der Schwermut und dem Tod in der eigenen Brust vertiefte sich zur wahren Gebärde der Lamentation, des Miserere, wo das gnadenlose Ausgesetztsein des Menschen in der zerrissenen Welt zur religiösen Erfahrung und von den großen Gleichnisgestalten des Hiob und Lazarus aus deutbar wurde. Nun erst erhält die schrille Ironie aller Aussagen ihre eigentliche Substanz, wird sie zum Mittel, das Leiden der Kreatur zu offenbaren, die in den Klauen ihrer Illusionen verblutet, wird sie zur Antwort, zur Parodie des Dichters auf eine sinnlose Weltordnung, gegen die eine prometheische Auflehnung lächerlich, die blinde Unterwerfung des Christen aber unredlich wäre. Nicht Pathos und nicht Demut, sondern das ironische Lachen des "Dichternarren" begegnet einem ungerechten, brutalen, launischen und zufälligen Universum:

Ach! der Spott Gottes lastet schwer auf mir. Der große Autor des Weltalls, der Aristophanes des Himmels, wollte dem kleinen, irdischen sogenannten deutschen Aristophanes recht grell dartun, wie die witzigsten Sarkasmen desselben nur armselige Spöttereien ge-

wesen im Vergleich mit den seinigen, und wie kläglich ich ihm nach-
stehen muß im Humor, in der kolossalen Spaßmacherei. Ja, die Lau-
ge der Verhöhnung, die der Meister über mich herabgeußt, ist entsetzlich, und schauerlich grausam ist sein Spaß. Demütig bekenne
ich seine Überlegenheit, und ich beuge mich vor ihm im Staube.
Aber wenn es mir auch an solcher höchsten Schöpferkraft fehlt, so
blitzt doch in meinem Geiste die ewige Vernunft, und ich darf sogar
den Spaß Gottes vor ihr Forum ziehen und einer ehrfurchtsvollen
Kritik unterziehen.

Wieder fühlen wir uns an dieser Stelle an den Satz Camilla Sel-
dens erinnert: "Le sourire de Méphistophélès glissant sur la figure
du Christ". Denn seit der Verkündigung des dritten Testamentes,
des Himmelreiches auf Erden in Leidlosigkeit und Schönheit, in
dem die unselige Aufspaltung des Daseins in Hellenentum und Nazarenertum, in "der Griechen Lustsinn" und den "Gottesgedanken
Judäas", in Leib und Seele zu Ende sein sollten, in dem die seit
Christus währende Krankheitsperiode der Menschheit aufhören
sollte mit der Versöhnung von Geist und Materie, von Weltgenuß
und Seligkeit, in dem die anderthalb Jahrtausend alte "knirschende
Selbstverachtung des Menschen" in der göttlich tanzenden, genie-
ßenden Übermenschheit erlöschen sollte: seit dieser Verkündigung
war Heine in die letzte Phase seines Lebens eingetreten. Während
die Juni-Revolution von 1848 auf den Straßen von Paris tobte, lag
Heine in der Matratzengruft, die er nun nicht mehr heilen Leibes
verlassen sollte; niedergebrochen vor dem Standbild der milesi-
schen Venus im Louvre, wahrscheinlich nicht wegen tabes dorsalis,
wie man bisher wegen seiner venerischen Erkrankung anzuneh-
men geneigt war, sondern weniger pointiert wegen progressiver
spinaler Muskelatrophie erblicher Herkunft. *Dies* ist die entsetz-
liche Verhöhnung, die der himmlische Aristophanes auf den "besten der Humoristen" herabgegossen hat.

Wir kämpfen nicht für die Menschenrechte des Volkes, sondern für
die Gottesrechte des Menschen ... Wir stiften eine Demokratie
gleichherrlicher, gleichheiliger, gleichbeseligter Götter ... Das Leid
ist ausgelitten.

Dies war das dritte Testament, dies schien die Gesundheit, von
der das am großen Weltriß erkrankte Herz des Dichters zu wissen
glaubte. Aber sein Zusammenbruch zu Füßen der Venus von Milo
und sein Erwachen in der Matratzengruft erwiesen, daß "Gott noch

immer der größere Ironiker" war. Und aus der Tiefe der Matratzengruft begegnet nun acht Jahre lang dem schauerlich grausamen Spott des größeren Ironikers die bitterlichste und schwärzeste Ironie des irdischen Humoristen, der die himmlischen Späße vor das Forum seiner Kritik zieht.

Aber warum muß der Gerechte so viel leiden auf Erden? Warum muß Talent und Ehrlichkeit zugrunde gehen, während der schwadronierende Hanswurst ... sich räkelt auf den Pfühlen des Glückes und fast stinkt vor Wohlbehagen? Das Buch Hiob löst nicht diese böse Frage ... Es zischen und pfeifen darin die entsetzlichen Schlangen ihr ewiges: Warum?

Das Gift des Zweifels, wie es der seinem mosaischen Glauben früh Entfremdete, dem der Taufzettel "das Entréebillet zur europäischen Kultur" werden sollte, der dann "mit Hegelianern und Pantheisten eine Zeitlang die Schweine gehütet" hatte, in dem Buch Hiob als dem Urmythos seines leidensfähigen und zum Leiden auserwählten Volkes destilliert fand, darf „nicht fehlen in der Bibel, in der großen Hausapotheke der Menschheit":

Ja, wie der Mensch, wenn er leidet, sich ausweinen muß, so muß er sich auszweifeln, wenn er sich grausam gekränkt fühlt in seinem Anspruche auf Lebensglück; und wie durch das heftigste Weinen, so entsteht durch den höchsten Grad des Zweifelns, den die Deutschen so richtig die Verzweiflung nennen, die Krisis der moralischen Heilung.

Im Gespräch über eines seiner gottverlassensten Gedichte entgegnete Heine auf den Vorwurf des Partners, er müsse das Gedicht atheistisch nennen, lächelnd: "Nein, nein, religiös; blasphemisch-religiös."

Blasphemie und Religiosität, das Unvereinbare durch einen Bindestrich vereint: wie sollte das möglich sein? Und doch scheint es die letzte und schaurigste Leistung Heines zu sein, daß er das Gift des Zweifelns, das er im Buch Hiob destilliert fand, nicht vorzeitig ausgeschieden hat, daß er es um sich fressen ließ bis ins Mark, daß er nochmals seine ganz Existenz zum Instrument des "schrecklichen Lebensleides" machte, und daß doch gerade die Blasphemie dadurch religiös wird, daß sie nicht aufhört, auf Rechtfertigung des Leidens zu dringen. Ironisch schlägt die religiöse Ergebung in Lästerung um, ironisch verkehrt sich aber die Blasphemie in Demut. Wir können hier nicht von der mit dem körperlichen Zusammenbruch verbundenen Heimkehr Heines zu dem "Gott unserer Väter", zu dem Bibelgott sprechen. Es war jedenfalls keine Konversion im üblichen Sinne, und sehr zu Unrecht denkt man dabei an Pascals Gebet, von der Krankheit rechten Gebrauch zu machen. Nichts in Heines Werk ist von schwerer durchschaubarer Ironie umschleiert als jene Passagen, wo er von seiner Heimkehr zum Glauben Zeugnis ablegt. Wieder ist vielleicht diese Ironie eine letzte Redlichkeit gegen sich selbst, eine Skepsis, wieweit dieser Glauben an den überweltlichen Gott nicht doch nur Produkt der geistigen Selbsterhaltung sein könne. Seinen prinzipiellen und gesprächsweisen Äußerungen ist da schwerlich etwas Gültiges zu entnehmen. Aber entscheidend bleiben seine Gedichte, und sie machen schnell deutlich, was ihm dieser persönliche Gott bedeutete: eine Adresse, an die kein einziges Gebet, wohl aber Klage, Anklage und Lästerung aufsteigen, ein Adressat, von dem Heine sagt, es sei eine Erleichterung, jemanden im Himmel zu wissen, an den er seine Seufzer und Lamentationen richten könne in der langen Nacht, nachdem sich seine Frau niedergelegt habe. Noch einmal: es ist keine christliche Ergebung in den unerforschlichen Ratschluß und kein prometheisches Rebellieren; Heine verbleibt in der redlichen Ironie eines Nicht-Begreifens, das in Schmerz, Elend, Ekel und Verzweiflung doch hadernd wie Hiob auf Rechtfertigung dringt mit der bösen Frage: Warum? Die letzte Ironie quillt aus dem Zweifel am Sinn einer solchen Frage: "Ein Narr wartet auf Antwort", so hieß es schon in den 'Nordsee'-Gedichten

> Also fragen wir beständig,
> Bis man uns mit einer Handvoll
> Erde endlich stopft die Mäuler —
> Aber ist das eine Antwort?

heißt es 1854 in dem Zyklus 'Zum Lazarus'. Doch Heine, "der beste der Humoristen", weicht nicht aus dieser Narrheit. Lästernd und lamentierend beharrt er, bis in sein letztes großes Gedicht 'Für die Mouche', in der Narrheit des Fragens. Und dieses Gedicht spricht noch einmal aus, daß die Antwort erst jenseits des Sterbens, im Schweigen des Todes liegt, daß erst der Tod die Krisis der moralischen Heilung bringen wird, und daß der Mißklang, der Widersinn, der schaurig grausame Spaß des Unrechts nicht aus dem Leben schwinden werden; daß die Klapper des misselsüchtigen, leprösen Lazarus nicht verstummen wird auf dieser Erde.

DER FUNKTIONSÜBERGANG VON DICHTUNG UND PUBLIZISTIK

> It is a long journey from lyric poetry to a placard beside a tramline, but it is a journey in which there are no breaks.
>
> E. M. Forster, *Anonymity*

I

Heines Prosaschriften wurden von den Zeitgenossen durchweg als ein Beginn, gar als ein Umsturz bewertet. Drei Stimmen nur seien aus dem Chor angeführt:

Arnold Ruge, 1838: "Heine, wie er von jetzt an — mit den Reisebildern — auftritt, ist *der Poet der neuesten Zeit*. Mit ihm lebt in der Poesie eine Emanzipation von dem alten Autoritätsglauben und ein neues Genre auf. So steht er entschieden in der modernen Entwicklung, wie wir sie mitgemacht und in den Gärungen der eigenen Brust empfunden und empfinden".[1]

Georg Herwegh, 1840: "Die neue Literatur ist ein Kind der Juliusrevolution. Sie datiert von der Reise *Börnes* nach *Frankreich*, von *Heinrich Heines Reisebildern*. Sie datiert *von der Opposition gegen Goethe*".[2]

Johannes Scherr, 1844: "Die Pariser Julirevolution machte der Restaurationsperiode ein Ende, aber die Julirevolution der deutschen Literatur datiert schon von früher, datiert von dem Auftreten Heinrich Heines, der mit seinen *Reisebildern*, deren erster Band 1826 erschien, die Polignacs und Peyronnettes unserer Literatur vom Ministertische jagte und, wenn auch nicht eine neue Sonne, so doch ein neues Morgenrot über den deutschen Dichterwald aufgehen ließ".[3]

---

[1] *Die deutsche Literatur. Texte und Zeugnisse.* Bd. 6: 19. Jahrhundert. Hrsg. von Benno von Wiese. München 1965. S. 335.

[2] *Die deutsche Literatur* ... S. 341.

[3] *Das junge Deutschland. Texte und Dokumente.* Hrsg. von Jost Hermand. Stuttgart 1966. S. 96

Durchweg betonen die Zeitgenossen auch, das Neue, Revolutionäre in Heines Prosaschriften sei in erster Linie seine *Schreibart*,[4] also die literarische Darbietungs- und Kommunikationsweise, und nicht vor allem seine Thematik. So schreibt etwa Wienbarg, Heine verdiene vor anderen großen Prosaisten die Auszeichnung, "als Charakterbild der neuen Prosa zu gelten"; kein anderer Autor sei geeignet, "den Geist der Zeit und der neuesten Bewegungen aus der Abspiegelung [seiner] Prosawerke erkennen zu lassen". Das Charakteristische dieser Prosa aber und damit der Unterschied zu den Werken der "jüngst vergangenen ästhetischen Epoche", für welche die Namen Goethe und Jean Paul stehen, liege "nicht allein in der Natur der ausgesprochenen Ansichten, namentlich der größeren Freiheit der politischen, sondern im verborgenen Räderwerk des Geistes, im Schwung, in der Konzentration der Gedanken nach einer gewissen Richtung, in der Wahl des Ausdrucks, im Bau der Periode, selbst in scheinbaren Kleinigkeiten, wie Absätze, Punkte und Kommata sind". Der Vergleich dieser Schreibart mit der Börnes lasse "die Absichtlichkeit der Heineschen Darstellung als etwas ihr Eigentümliches nicht verkennen", meint Wienbarg.[5]

Ein anderes Beispiel für die Tendenz, das Revolutionäre von Heines Prosa hauptsächlich in der Schreibart und mithin in literarischen Valenzen zu entdecken, bietet die Fortsetzung der oben zitierten Äußerung Ruges. Wie Wienbarg und andere sucht er das Neue dieser Schreibart im ehrwürdigen Begriff des Witzes zu fassen, der — besonders in den *'Reisebildern'*— das Formprinzip dieses neuen Genre sei und der nun von Ruge wie auch von anderen Hegelianern eine geistes- und bewußtseinsgeschichtliche Interpretation erfährt, indem er als formgeschichtliches Korrelat der Emanzipation (Wienbarg) bzw. der Revolution (Ruge) gedeutet wird:

> Dem Prinzip nach stellt sich in ihm dasselbe poetisch dar, was die Revolution, die sich selbst zum Zweck hat, politisch ist. *Beide,* Heine und die Revolution als solche, erkennen nur das subjektive Belieben, nicht die objektive Substanz und ihre Berechtigung an. Gleichwohl ist dieser Wirbel, der die Freiheit des Subjekts zur nur formalen, inhaltsleeren Bewegung aushöhlt, ein wesentlicher Standpunkt des Geistes, und Heine hat eben darin seine Bedeutung, daß er ihn

---

[4] Dieses Wort verdrängt um 1830 wie auf Verabredung bei Heine, Wienbarg, Engels usw. das Wort Stil.

[5] *Das junge Deutschland* ... S. 114, 116.

poetisch darstellt. Die Befreiung des Genies von den substantiellen Gehalten des Geistes, von den Fesseln der Liebe und der Ehe, von dem beschränkten Glauben, von den festen Gesetzen der Freiheit ist der Witz, den es dagegen geltend macht, denn *der Witz ist die freie, die selbstbewußte, dominierende Persönlichkeit,* also der Genuß des genialen Beliebens . . . Konsequent und mächtig wie Fichte, sein gewaltiger Ahn, selber, ist dieser Geist des unabhängigen, nicht beteiligten Genies in die entgegengesetzten Gestalten des Lebens und der Literatur gefahren . . . In der Belletristik belebt das Prinzip der genialen Willkür alle die kecken, frevelhaft selbständigen Erscheinungen, die in Heine ihren Stammvater anerkennen.[6]

Offensichtlich (denn die Übereinstimmung geht oft bis in den Wortlaut) sind nun diese Äußerungen über das Neue der Heineschen Schreibart durch Heine selbst inspiriert, und zwar durch seine wiederholten Bemerkungen über das bevorstehende oder schon hereingebrochene "Ende der Kunstperiode, die bei der Wiege Goethes anfing und bei seinem Sarg aufhören wird" (4, 72). Die Formel "Ende der Kunstperiode"[7] (bei Wienbarg: "ästhetische Epoche") ist zunächst auf die Sprengung des Kunstbegriffs der klassischen Ästhetik durch eine entschieden engagierte Literatur gemünzt. Heine erinnert an andere Epochen, deren Kunstwerke "nur das träumende Spiegelbild ihrer Zeit" gewesen seien und deren Künstler "in heiliger Harmonie mit ihrer Umgebung" gestanden hätten: "Sie trennten nicht ihre Kunst von der Politik des Tages, sie arbeiteten nicht mit kümmerlicher Privatbegeisterung, die sich leicht in jeden beliebigen Stoff hineinlügt" (4, 72f.). Dagegen sei die Kunstperiode bestimmt durch einen Kunstbegriff, für den die Kunst "eine unabhängige zweite Welt" sei, "zwecklos wie der Weltbau selber", nur um ihrer selbst willen da und ohne Bezug auf die Ansprüche der "ersten wirklichen Welt" (5, 251f.). In der Objektivität als höchstem Erfordernis eines Kunstwerks sieht Heine das Korrelat dieses die Politik des Tages wie die gesellschaftlichen Bewegungen

---

[6] *Die deutsche Literatur* . . . S. 337.
[7] Die wichtigsten Bemerkungen über das Ende der Kunstperiode finden sich in der Auseinandersetzung mit Wolfgang Menzels *Die deutsche Literatur* (1828), in *Französische Maler* (1831) und im ersten Buch der *Romantischen Schule* (1835/36). — Heine wird zit. nach: Heinrich Heine, *Sämtliche Werke.* Hrsg. von Ernst Elster. Leipzig/Wien o. J. (1887-90). Die Ziffer vor dem Komma bezeichnet den Band, die hinter dem Komma die Seite.

von der Kunst fernhaltenden "egoistisch isolierten Kunstlebens", das "die müßig dichtende Seele hermetisch verschlossen" lasse "gegen die großen Schmerzen und Freuden der Zeit" (4, 72).

Prognostisch spricht Heine von einer neuen Kunst, die als Geburt einer neuen Zeit mit ihr in begeistertem Einklang stehen werde und nicht aus verblichener Vergangenheit ihre Symbolik werde borgen brauchen, sondern eine neue, von der seitherigen grundverschiedene Technik werde hervorbringen müssen. Aber von dieser neuen Kunst und ihrer neuen Technik kann noch keine konkrete Vorstellung gehegt werden. Was gilt also für diejenigen, die der abgelebten Kunstperiode abgesagt haben?

> Bis dahin möge, mit Farben und Klängen, die selbsttrunkenste Subjektivität, die weltentzügelte Individualität, die gottfreie Persönlichkeit mit all ihrer Lebenslust sich geltend machen, was doch immer ersprießlicher ist als das tote Scheinwesen der alten Kunst.

Das heißt: die poetische Vermittlung von neuem Bewußtsein und in Bewegung geratener Menschenwelt ist nicht als welthafte Vermittlung möglich, nicht durch Darstellung einer zwar "geistgeborenen", aber welthaft in sich abgeschlossenen (epischen oder dramatischen) Wirklichkeit. Erst in näherer oder fernerer Zukunft sind für Heine wieder Gebilde denkbar, die, aufgrund einer neuen, unabsehbaren Technik, als welthaft dargestellte Wirklichkeit das Bewußtsein der Moderne enthalten, indem die subjektive Reflektiertheit des Objektiven zu einer Dimension des Objektiven selbst wird. Für den Augenblick aber hält Heine nur die Subjektivität als solche, als den Bezugspunkt aller Wirklichkeitserfahrung, für im eigentlichen Sinne darstellbar.

Schon diese Andeutungen zeigen, wie weit die Koordinaten dessen, was die Zeitgenossen als Neues in Heines Schreibart fanden, von ihm selber zur Verfügung gestellt wurden. Und zwar auf der einen Seite in bezug auf eine *littérature engagée,* im Zug derer sich auch das Dichten nicht mehr an der "Idee der Kunst", nicht mehr an der Idee einer durch die Ästhetik ausgesprochenen Poesie orientiert, sondern den Anspruch auf publizistische Einflußnahme in sich aufnimmt; auch das Artistische der Schreibart scheint damit zur Funktion nichtästhetischer Wirkungsabsichten zu werden. Auf der anderen Seite aber wird die Beschaffenheit der neuen Schreibart vom Witz als allen Inhalten und Absichten apriorischem Form- und Sprachprinzip hergeleitet, und sofern sich in diesem

Witz die poetische Vermittlung von moderner Bewußtseinslage und neuer Wirklichkeit manifestieren soll, erscheint diese Schreibart doch wieder als ein primär artistisches Phänomen; die Politisierung der Literatur, die publizistische Wirkungsabsicht scheint sich als Funktion eines neuen Dichtungsbegriffs herauszustellen.

Fast noch mehr als für die Zeitgenossen ist Heines Prosa, ist seine Schreibart den Späteren bis auf den heutigen Tag ein Zwitter von Dichtung und Publizistik geblieben. Und so mag ein Auszug aus dem Nachwort, das jüngst Jost Hermand seiner verdienstvollen Sammlung 'Das junge Deutschland' (s. Anm. 3) mitgab, zeigen, wieso Heines Prosa und besonders die 'Reisebilder' für das Thema "Grenzphänomene des Ästhetischen" relevant sind: "Hier nach 'Dichtung' zu suchen, wäre von vornherein verfehlt. Denn die meisten Vertreter dieser Bewegung betrachteten sich voller Stolz als öffentlich wirksame Publizisten und nicht als weltfremde Literaten ... Welcher literarischen Mittel man sich dabei bediente, hat nur eine untergeordnete Bedeutung ... Alles war erlaubt, nur nicht das 'genre ennuyeux'. Man ... schrieb Essays, Briefe, Feuilletons oder Reisebeschreibungen, die auf der Stelle konsumierbar sind. Darum ist es auch durchaus möglich, die Werke der Jungdeutschen in kleine Teile und Teilchen zu zerlegen ... Denn was alle Autoren dieser Richtung liebten, ist die rhetorisch aufgehöhte Pointe, wodurch sich selten ein geschlossener Erzählzusammenhang entwickelt. Es gibt kaum ein vollendetes oder abgerundetes Werk im Bereich dieser Literatur ... Man wollte ja gar nicht dichterisch sein ... Das neue Bild vom Schriftsteller ist daher das vom Dichter-Prosaisten, wie man es in Börne und Heine vorgeprägt fand, die sich in witzig populärer Weise zur fortschreitenden Emanzipation bekannten".[8]

Es geht hier — schon mit Rücksicht auf die Auslassungen — nicht darum, was an diesen Behauptungen richtig, schief oder falsch ist. Wichtiger ist im Augenblick, was an ihnen symptomatisch ist, nämlich die Argumentation, auf die sich das entscheidende Urteil stützt: "Hier nach 'Dichtung' zu suchen, wäre von vornherein verfehlt". Warum soll das verfehlt sein, und an welches Kriterium für Dichtung denkt Hermand, wenn er das Wort in Anführungszeichen setzt? Sieht man von den Argumenten ab, die sich auf das Selbstverständnis der in Frage kommenden Autoren stützen wol-

---

[8] *Das junge Deutschland* ... S. 373f.

len,[9] so bleiben die Beweisgründe "selten ein geschlossener Erzählzusamenhang", "kaum ein vollendetes und abgerundetes Werk". Damit zeichnet sich aber ab, was es im Grunde als verfehlt erscheinen läßt, nach 'Dichtung' zu suchen: es ist die Unvereinbarkeit der ins Auge gefaßten Texte mit dem Dichtungsbegriff der "Kunstperiode", es ist — da nun einmal Hegels Vorlesungen über Ästhetik als eine 'Summa' der "Kunstperiode" von 1750—1830, von Baumgarten bis Hegel oder auch von Goethes Wiege bis zu seinem Sarg gelten können — die Unvereinbarkeit dieser Texte mit Hegels Begriff des *freien poetischen Kunstwerks*. Es ist, noch allgemeiner, die Unvereinbarkeit dieser Prosa mit der durch die Ästhetik ausgesprochenen *Idee der Kunst*.

Hegels Begriff des freien poetischen Kunstwerks bedarf hier keiner Explikation. Es genügt also der pauschale Hinweis, daß, wo immer in Heines Schreibart und Textstruktur das eigentlich Dichterische vermißt wird, die Hegelsche Bestimmung des Poetischen, des Werkcharakters und der Darstellung als Maßgabe zum Vorschein kommt. Hegels Unterscheidung von prosaischer und poetischer Auffassungsweise, von prosaischem und poetischem Kunstwerk, sein Begriff der Darstellung als Versöhnung des Wahren und der

---

[9] "Man wollte ja gar nicht dichterisch sein": das ist mindestens in bezug auf Heine selbst dann eine fragwürdige Behauptung, wenn man seine Versdichtung ausklammert. Obwohl er das Ende der Kunstperiode proklamiert und einer littérature engagée das Wort redet, schreibt er am 23. 8. 1838 an Gutzkow: "Mein Wahlspruch bleibt: Kunst ist der Zweck der Kunst." Im Kap. 31 der *Reise von München nach Genua* freilich lesen wir: "Die Poesie, wie sehr ich sie auch liebte, war mir immer nur heiliges Spielzeug oder geweihtes Mittel zu himmlischen Zwecken" (3, 281). Und da er anschließend diese himmlischen Zwecke durch die Selbstcharakteristik "ein braver Soldat im Befreiungskriege der Menschheit" erläutert und zudem das Wort Poesie nur auf seine Lieder zu beziehen scheint, könnte man folgern, er wolle von den Reisebildern den Anspruch auf Dichtung fernhalten. In der *Stadt Lucca* aber schließt das Kap. 15 mit der Bemerkung: "So z. B. du, lieber Leser, bist unwillkürlich der Sancho Pansa des verrückten Poeten, dem du durch die Irrfahrten dieses Buches zwar mit Kopfschütteln folgst, aber dennoch folgst" (3, 422). Des verrückten Poeten, obgleich er gerade diese Schrift, wie wir noch sehen werden, "agitatorisch" nennt. In der Matratzengruft endlich rekapituliert er seine Existenz immer wieder mit Sätzen wie "Ich war immer ein Dichter ... Ich sterbe als ein Dichter ... Es ist nichts aus mir geworden, nichts als ein Dichter".

Realität nicht im Denken und in der Reflexion, sondern in der geistig vorgestellten Form realer Erscheinung, seine Definition des poetischen Kunstwerks als totales und freies Ganzes, das eine abgeschlossene Welt für ich ausmacht, seine Bestimmung des Verhältnisses von Teilen und Ganzem als organische Totalität — all dies ist ja weithin maßgeblich für die Bemühungen, die Sphäre der Dichtung innerhalb der Literatur einzugrenzen. Herman Meyer hält z.B. in seinem berühmten Aufsatz 'Zum Problem der epischen Integration'[10] entschieden daran fest, daß die literaturwissenschaftliche Gestaltforschung ohne den Begriff der Ganzheit nicht auskomme, weil er den letzten Leitbegriff und Maßstab hergebe zur Bestimmung, ob eine Gestalt im prägnanten Sinne der Ästhetik vorliegt. Die Erkenntnis des spezifischen Charakters der ästhetischen Ganzheit ist für ihn deshalb unabdingbare Voraussetzung für die Anerkennung des Kunstcharakters. Die Frage nach der wechselseitigen Bezogenheit von Teil und Ganzem und damit die Frage nach der integralen Einheit des Kunstwerks wird so zur Polfrage aller Gestaltforschung. Die Frage nach der integralen Einheit und die Definition des Kunstwerks als — tatsächlich oder doch intentional — in sich geschlossene, selbstgenügsame, totale 'Welt' verhalten sich also komplementär: nur wo die "endliche Ganzheit" einer "Wirklichkeit mit Totalitätscharakter" realisiert oder wenigstens intendiert ist, ermöglicht sich nach H. Meyer überhaupt eine spezifisch ästhetische Ordnung.

Diese grundsätzlichen Erwägungen H. Meyers sprechen m. E. die Prämissen aus, die es J. Hermand von vornherein verfehlt erscheinen lassen, in der "geistreich-witzelnden Prosa" Heines nach Dichtung zu suchen. Denn kurzum: ob sich Karl Kraus über die mangelnde Grenzziehung zwischen Poesie und Information (singend, wo er Bote sein sollte, meldend, wo Gesang geboten wäre) ereifert, ob Gundolf rügt, Heine sei für die deutsche Sprache der verhängnisvolle Erleichterer, Vermischer und Verschieber geworden, ob Croce Poeten und Artisten unterscheidet und Heine nur als Artisten gelten läßt, ob W. Muschg, eine Formulierung Baudelaires aufgreifend, von Heines verfaultem Literatentum spricht, ob Herman Meyer Struktur und Schreibart der 'Reisebilder' auf den Nenner "subjektivistische Geistreichigkeitshaltung" bringt, ob schließ-

---

[10] *Trivium* 8 (1950). S. 299-318; wiederabgedruckt in: Herman Meyer, *Zarte Empire*. Stuttgart 1963. S. 12-32.

lich solche Urteile mehr negative oder mehr positive Vorzeichen haben — im Grunde liegt überall eine wenn auch noch so latente Konvergenz mit Hegels Vorstellung vom *freien poetischen Kunstwerk* vor, ganz wie bei den Zeitgenossen Hegels. Denn die standen ja großenteils im Bannkreis Hegels, und selbst diejenigen, die dem *Ende der Kunstperiode* applaudierten, mußten es schwer haben, Heines Prosaschriften mit ästhetischen Kategorien, als "Gestalt im prägnanten Sinne der Ästhetik", zu erfassen: weil auch für sie der Bezugsrahmen der von Hegel summierten Ästhetik der Kunstperiode galt.

Dem Verdacht auf gewaltsamen Nonkonformismus soll vorgebeugt werden. Wenn dieser Beitrag Heines Schreibart im Rahmen des Themas "Grenzphänomene des Ästhetischen" behandelt, so ist a limine unterstellt, daß hier ein solches Grenzphänomen vorliegt. Die Frage ist zunächst nur, welche Perspektive man durch diese wohl selbstverständlich anmutende Hypothese eröffnet findet. Gilt es (egal, ob billigend oder verwerfend) hauptsächlich die Züge in den Texten dieses "Dichter-Prosaisten" zu registrieren, die sich ästhetischen Kategorien entziehen? Oder gilt es zu prüfen, inwiefern eine Schreibart, für die "Feuilletonismus" ein m. E. zweifelhaftes Etikett ist,[11] den Spielraum dessen erweitern konnte, was

---

[11] Feuilleton meint in erster Linie den Unterbringungsort von Texten, ähnlich wie Almanach oder außerhalb des Literarischen, mit bezug auf verschiedenartige Nummern, Variété. Indessen hat es sich längst eingebürgert, das Wort Feuilleton auch auf einzelne Texte zu beziehen: jemand trat als Verfasser von Feuilletons hervor. Solange man dabei lediglich die Plazierung der Texte im Auge hat, ist nichts einzuwenden. Wo das Wort aber darüber hinaus den Begriff eines literarischen Genre abgeben soll, verdeckt man leicht, welche unterschiedlichen Textsorten dieser Begriff subsummieren muß. Es läßt sich schlechterdings nicht definieren, welche textimmanenten Merkmale (der Thematik, des Stils, der Technik) einen Text als Exemplar dieses Genres ausweisen. Wie im Falle des Lesebuchs sind ja die allerverschiedensten Textsorten, Formen und Gattungen 'feuilletonfähig'. Das Etikett Feuilleton besagt über den Charakter eines Textes sehr viel weniger als vergleichsweise die Bezeichnung Kalendergeschichte. Deshalb vermag auch das Attribut feuilletonistisch — auch wo es nicht mit kulturkritischem Ressentiment geladen ist — keine einigermaßen bestimmte (und sei es noch so variable) Darbietungs- und Kommunikationsweise auszudrücken; auch bei diesem Attribut muß von der Unterschiedlichkeit und Heterogenität der damit versehenen Texte gar zu sehr abstrahiert werden. Eine präzis ar-

die Angelsachsen mit glücklicher Vermeidung der Dichotomie Dichtung — Literatur "imaginative writing" nennen? Die letzte Perspektive bringt allerdings drei heuristische Voraussetzungen mit sich. Erstens den Vorsatz, ein Grenzphänomen nicht einfach in dem Sinne geltend zu machen, daß primär informierende, glossierende, polemische oder agitatorische Texte belletristisch gewürzt oder glasiert wären. Zweitens die Bereitschaft, auch dort noch eine imaginative Schreibart anzuerkennen, wo die Texte dem Begriff des freien poetischen Kunstwerks nicht entsprechen. Drittens die Erwägung, daß es nicht nur *Grenzphänomene des Ästhetischen* geben könne, sondern auch *das Grenzphänomen der Ästhetik* und der in ihr ausgesprochenen "Idee der Kunst". Denn was macht die Ästhetik zum Komplement der "Kunstperiode"? Daß Kunst und Dichtung mit dem Anspruch bedacht werden oder auftreten, zum Ausdruck zu bringen, was nur durch/als Kunst und Dichtung ausgedrückt und ausgesagt werden kann. Dieser Anspruch bewirkt ja erst die ausgesprochene Trennung von Poetik und Rhetorik, von Dichtkunst und Redekunst, er begründet dann, um 1750, das Aufkommen der Ästhetik — ohne diesen Anspruch hätten Kunst und Dichtung für die Philosophie nicht zum selbstständigen Problem werden können.[12] Hält man diesen Anspruch aufrecht, so scheinen Heines Prosaschriften und deren Schreibart nur zwei Einstellungen zu gewähren. Entweder den Verzicht, darin nach Dichtung zu suchen; der schon den Zeitgenossen sich aufdrängende Kunstcharakter[13] muß dann als rein vehikulär angesehen werden. Oder die Unterstellung, daß selbst die publizistische Intention zum Medium eines eigenwertigen, mit rein ästhetischen Kategorien zu erfassenden Ausdrucks- und Darstellungswillens werden könne.

---

tikulierbare Übereinkunft, was denn nun das Feuilletonistische sei, gibt es trotz der Einleitung zu Hesses Glasperlenspiel allem nach nicht. Das Scheitern des Versuchs, Feuilleton als Genre und das Feuilletonistische als eine relativ homogene Darbietungs- und Kommunikationsweise zu bestimmen, zeigt wieder einmal das Nachwort von Hans Bender zu seiner Anthologie *Klassiker des Feuilletons*. Stuttgart 1966; jede der Intention nach definierende Aussage erweist sich tatsächlich als ein Ausweichen vor einer Definition.

[12] In diesem Punkt schulde ich Joachim Ritter/Münster und seinem philosophischen Kolloquium Dank für Bestätigung und Klärung.

[13] So stellt etwa Wienbarg im Hinblick auf "Absicht und Kunst" einen wesentlichen Unterschied zwischen Heines und Börnes Schreibart

Oder entfällt die Alternative mitsamt dem Anspruch, aus dem sie sich ergibt? Die Antwort steckt natürlich in den fraglichen Texten,[14] deren Struktur allerdings zunächst durch eine grobe Faustskizze und ohne jeden Textbeleg vergegenwärtigt werden muß, weil es sich um Züge handelt, die nicht einmal durch ein ganzes Kapitel, geschweige an kürzeren Abschnitten oder Passagen zu exemplifizieren wären. Ganz pauschal und abstrakt also kann man sagen: Es kommt nicht zur Entfaltung eines in sich geschlossenen Sachzusammenhangs, erst recht nicht zur Darstellung einer welthaft in sich zusammenhängenden phänomenalen Wirklichkeit, die als epische, durch das Sprechen erzeugte, Anfang, Mitte und Ende hätte. Zur Sprache kommt fast durchweg ein kunterbuntes Durcheinander von Fakten, Phänomenen, Episoden, Prospekten, Bewußtseinsdaten, ein Potpourri von Realitäten der verschiedensten Ebenen und Dimensionen also, die nur durch Assoziation, Reflexion, Gedächtnis des niemals gänzlich fiktiven Autors miteinander in Kontakt kommen. Zur Sprache kommt "a series of riddles, of mysti-

---

fest, und obwohl er überzeugt war, daß "ein der Geschichte kundiger, geistreicher Mann" nach hundert Jahren "ohne weiteres Goethe mit Jean Paul, Heine mit Börne verbinden und jedem Paar seine eigentümliche Periode anweisen werde", wollte er doch mit Rücksicht auf die "Idee der Kunst ... eher Börne mit Jean Paul, Heine mit Goethe in Vergleichung setzen". (*Das junge Deutschland* ... S. 115f.)

[14] Es ist schwierig, das Spektrum von Textsorten, in denen sich Heines "neue Schreibart" manifestiert, zu rubrizieren und in eine Nomenclatur zu bringen, sei es auf Grund der Inhalte und Themen, sei es nach den etablierten formalen Kategorien wie Erzählung, Essay, Abhandlung, Bericht, Glosse, Artikel, Skizze, Streitschrift usw., sei es nach den vorwaltenden sprachlichen Operations-, Verhaltens- und Kommunikationsweisen. Vorliegender Beitrag denkt indessen mit Rücksicht auf sein Thema in erster Linie, wenngleich nicht ausschließlich, an jene Schriften, die als halbwegs erzählende noch am ehesten in die Kompetenz von Poetik und Ästhetik zu fallen scheinen, also an die *Reisebilder,* an *Aus den Memoiren des Herrn von Schnabelewopski, Florentinische Nächte, Memoiren* sowie an das zweite Buch von *Ludwig Börne,* die Briefe aus Helgoland. Mit diesem Hinweis soll aber nicht im mindesten suggeriert werden, Faser und Textur seien in diesen Schriften wesentlich anders als in den restlichen; überall finden sich Partien, die nach allen Seiten hin austauschbar wären.

fying innuendos, a mere rhapsodic hodge-podge of whims, moods and reflections".[15] Heines (wiederum durch Hegel inspiriertes) Wort, die moderne Poesie sei nicht objektiv, episch und naiv, sondern subjektiv, lyrisch und reflektierend, findet extreme Bestätigung. Anstatt einer sich selbst tragenden und haltenden 'dargestellten Wirklichkeit', einer abgeschlossenen Welt des ästhetischen Scheins haben wir ein Gewebe aufgedrungener oder intendierter Wirklichkeitsbezüge vor uns. Und dieses Präsentieren von Wirklichkeitsbezügen wird nun noch dadurch facettiert, daß eine Sequenz der mannigfaltigsten subjektiven Modi, der heterogensten "Geistesbeschäftigungen" (A. Jolles, 'Einfache Formen') zum Ausdruck kommt, in denen sich der jeweilige Wirklichkeitsbezug realisiert: Beobachtung, Analyse, Imagination, Reminiszenz, Traum, Stimmung, Affekt, Meditation, Reflexion, Dialog, Lektüre sind nur einige solcher Einfallstore, Gleise, Kanäle für den Kommerz zwischen Bewußtsein und Realität. Das Bild der Gleise oder, nach Lichtenberg, der Kanäle drängt sich deshalb auf, weil es sich mit dem Bild einer Drehscheibe oder eines Kanalsystems verbinden läßt; denn alles Wahrgenommene, Imaginierte, Erinnerte, Empfundene, Vernommene oder Gedachte gibt Anlaß auf anderes zu geraten, regt zu desultorischen Bewußtseins- und Sprachakten an, provoziert das Prinzip vermittelnder Unterbrechung. Interferenz von Progression und Digression — so könnte man die in diesen Texten vorherrschende Bewegung nennen.[16]

Diese grobe Skizze läßt sich vervollständigen durch die Aufzählung dessen, was nicht eingelöst ist, wodurch zugleich die Argumente rekapituliert werden, mit denen Heines Prosaschriften der in der Ästhetik definierte Poesiecharakter abgesprochen werden könnte:

1. Diese Texte sind kein "durch den Geist produzierter Schein" und erfüllen mithin nicht die Bedingung der Idealität, die nach Hegel das echt Poetische in der Kunst auszeichnet.

2. Sie lassen nicht den "imaginativen Charakter" der Poesie erkennen, durch den sich diese als "Organ der Einbildungskraft" aus-

---

[15] H. J. Weigand, Heine's "Buch Le Grand". In: The Journal of English and Germanic Philology 18 (1919). S. 102.

[16] Auf Sterne's "progressive digression" als Anknüpfungsmöglichkeit für Heine verweist Walter Höllerer, Zwischen Klassik und Moderne. Stuttgart 1958. S. 77.

weist; erst recht entsprechen sie nicht dem Postulat, daß sich die künstlerische Phantasie in ästhetischer, d. h. in "bildlicher, vollkommen sinnlicher Darstellung" manifestiere.

3. Sie lassen die "integrale Einheit des Kunstwerks" vermissen und machen es also unmöglich, "Gestalt im prägnanten Sinne der Ästhetik" zu erkennen.

4. Sie erfüllen nicht den Anspruch, den ein Satz von Hans-Georg Gadamer bündig formuliert und der die Quintessenz der drei anderen Argumente ist: "Die dichterische Aussage ist spekulativ, sofern sie nicht eine schon seiende Wirklichkeit abbildet, nicht den Anblick der Species in der Ordnung der Wesen wiedergibt, sondern den neuen Anblick einer neuen Welt im imaginären Medium dichterischer Erfindung darstellt".[17]

Und doch sei nicht zu früh behauptet, das "neue Genre" werde, paradox, dadurch ein poetisches Genre, daß es den Begriff des Ästhetischen sprengt, daß es die "Idee der Kunst" preisgibt. Zwei Möglichkeiten, sich die Struktur dieser Texte als rein poetische zurechtzudenken, sollen entworfen und zugleich desavouiert werden:

Man könnte erstens ausgehen von Heines These, am Ende der Kunstperiode angelangt sei für die Dichtung allein noch die Subjektivität als Bezugspunkt aller Wirklichkeitserfahrung darstellbar. "Die Poesie ist jetzt nicht mehr objektiv, episch und naiv, sondern subjektiv, lyrisch und reflektierend" schreibt Heine in '*Zur Geschichte der Religion und Philosophie in Deutschland*' (I) (4, 204). Man könnte nun die in den '*Reisebildern*' usw. sich "aufspreizende" (Hegel) Subjektivität als Reflex einer Welt interpretieren, deren Wesen und Beschaffenheit sich in "des verrückten Poeten ... Irrfahrten" ahnen lassen. Denn im Kap. 3 von '*Ideen. Das Buch Le Grand*' wird die Welt "der Traum eines weinberauschten Gottes" genannt, der nicht weiß, "daß er alles das auch erschafft, was er träumt" (3, 136); das Kap. 11 nimmt dies in der verwandten, bei Heine mehrmals wiederkehrenden Vorstellung eines *Aristophanes im Himmel* auf. Im Kap. 8 der '*Bäder von Lucca*' ist von der "Ironie des großen Weltbühnendichters" (3, 322) die Rede, im Kap. 16 der '*Stadt Lucca*' von der "Weltironie", der "Ironie, die Gott in die Welt hineingeschaffen hat" (3, 423); im zweiten Buch der '*Romantischen Schule*' kommentiert Heine die

---

[17] Hans-Georg Gadamer, *Wahrheit und Methode*. Tübingen 1960. S. 446.

Ernennung Tiecks zum Hofrat mit dem Satz: "Der liebe Gott ist doch immer noch ein größerer Ironiker als Herr Tieck" (5, 288). Nicht zuletzt gehören in diese Linie die Betrachtungen über die Dialektik von Narrheit und Vernunft, die zweifellos ein Schlüssel zum Verständnis von 'Ideen. Das Buch Le Grand' sind.[18] Solche Aussagen könnten in Versuchung bringen, Struktur und Schreibart der 'Reisebilder', des 'Schnabelewopski', der 'Florentinischen Nächte', als Epideixis auf eine Welterfahrunug zu erläutern, die nur in den Reflexen des von ihr betroffenen Subjekts darstellbar ist. Diese Texte reflektieren dann durch ihr subjektivistisches Gepräge die Unmöglichkeit, "den Zusammenhang der Wirklichkeit als einer in sich vernünftigen zur Darstellung zu bringen".[19] Georg Lukács' Erklärung der Form-Inhalt-Dialektik bei Heine[20] käme damit ebensogut zum Tragen wie Wolfgang Kaysers Definition des Werkstils als "die einheitliche Perzeption, unter der eine dichterische Welt steht"; das Problem des Grenzphänomens wäre aber gleichzeitig eskamotiert.

Man könnte zweitens zurückgreifen auf Kants Unterscheidung im § 16 der 'Kritik der Urteilskraft': "Es gibt zweierlei Arten von

---

[18] Vgl. H. J. Weigand, Heines's "Buch Le Grand" ... S. 102-136, mit einem interessanten Hinweis auf Anknüpfungspunkte bei Tieck und E.T.A. Hoffmann.

[19] Dieter Henrich, Poetik und Hermeneutik II. Hrsg. von Wolfgang Iser, München 1966, S. 16.

[20] Georg Lukács, Heinrich Heine als nationaler Dichter. In: Werke. Bd. 7. Neuwied/Berlin 1964. S. 317f.: "Balzac stellt die Selbstbewegung der Widersprüche in der Wirklichkeit selbst dar. Er gibt ein Bild von der realen Bewegung der realen Widersprüche der Gesellschaft. Heines Form ist die der extremen Subjektivität, die Reduzierung der dichterischen Gestaltung der Wirklichkeit auf das lebendige und widerspruchsvolle Zusammenwirken der Widerspiegelung der Wirklichkeit im Kopfe des Dichters ... Wenn Heine eine gestaltete Kritik der deutschen Zustände auf der internationalen Höhe der Epoche, also wirklich zeitgenössisch und nicht deutsch-anachronistisch geben wollte, so war es für ihn unmöglich, auf deutschem Boden bei realistischer Gestaltung eine Handlung zu finden, die diese Kritik adäquat und realistisch sinnfällig machen konnte. Es ist also weder eine dichterische Schwäche noch eine persönliche Schrulle Heines, wenn er für seine große dichterische Kritik Deutschlands ... die extrem subjektivistische Form der Reisebilder wählte. Er wählte die damals einzig mögliche deutsche Form des höchsten dichterischen Ausdrucks der gesellschaftlichen Widersprüche."

Schönheit: freie Schönheit (pulchritudo vaga), oder die bloß anhängende Schönheit (pulchritudo adhaerens). Die erstere setzt keinen Begriff von dem voraus, was der Gegenstand sein soll; die zweite setzt einen solchen und die Vollkommenheit des Gegenstandes nach demselben voraus." Als Beispiel freier Schönheit nennt Kant "die Zeichnungen à la greque, das Laubwerk zu Einfassungen oder auf Papiertapeten usw."; also Dinge, die man dann in den Begriff der Arabeske faßte. Auch "das, was man in der Musik Phantasieren (ohne Thema) nennt, ja die ganze Musik ohne Text" könne man zu den freien Schönheiten zählen, "denn sie stellen nichts vor, kein Objekt unter einem bestimmten Begriffe." Die Bedeutung dieser Unterscheidung einer freien Schönheit für die frühromantische Poetik ist eklatant, ist doch die Orientierung der Poesie an Arabeske und Musik einer ihrer wichtigsten und charakteristischen Gesichtspunkte. Aber auch Heine mochte die Arabeske als Muster freier Schönheit im Sinn haben, wenn er im Kap. 10 der 'Bäder von Lucca' den eben unter seiner Feder entstehenden Text zweimal eine "Tapete" nennt und wenn er dieser Etikettierung folgendes vorausschickt:

Diese Geschichte [Candides Staunen über die Wertlosigkeit des Goldes in Eldorado, W. P.] kommt mir immer in den Sinn, wenn ich im Begriff stehe, die schönsten Reflexionen über Kunst und Leben niederzuschreiben, und dann lache ich und behalte lieber meine Gedanken in der Feder oder kritzele statt dieser irgend ein Bild oder Figürchen auf das Papier und überrede mich, solche Tapeten seien in Deutschland, dem geistigen Eldorado, weit brauchbarer als die goldigsten Gedanken (3, 337).

Die Vermutung, der Begriff einer freien Schönheit könne relevant sein für die Frage nach dem Pol des Poetischen in den 'Reisebildern' u. a. verstärkt sich, wenn Heine im Kap. 11 desselben Textes davon spricht, daß er "die gute protestantische Streitaxt mit Herzenslust handhabe", und etwas später hinzufügt: "wenn ich auch vorher mit lachenden Blumen meine Axt umkränzte" (3, 362). Denn diesem Bild assoziiert sich fast unvermeidlich das Bild des Thyrsus, in dem Baudelaire[21] mehrmals das Verhältnis von Poesie und Prosa, von "matière-support" und "poésie-langage" in ein und demselben Text veranschaulicht. Und zwar wieder so veranschau-

---

[21] Zit. nach: Baudelaire, Oeuvres complètes. Ed. Pléiade 1961.

licht, daß man sich dabei des Gedankens an einen inneren Zusammenhang mit Kants Begriff der freien Schönheit, der "pulchritudo vaga", deren Modelle Arabeske und Musik ohne Text sind, kaum entschlagen kann. Baudelaire übernimmt das altehrwürdige Bild des Thyrsus von De Quincey, von dem er in '*Mangeur d' Opium*' (I) sagt:

> il compare... sa pensée à un thyrse, simple bâton qui tire toute sa physionomie et tout son charme du feuillage compliqué qui l'enveloppe... (390). Le sujet n'a d'autre valeur que celle d'un bâton sec et nu; mais les rubans, les pampres, et les fleurs peuvent être, par leurs entrelacements folâtres, une richesse précieuse pour les yeux ... (461).

In dem (Franz Liszt gewidmeten) 32. der '*Petits Poèmes en Prose*' mit dem Titel '*Le Thyrse*' wird dieses Bild aufgegriffen und weiter entfaltet:

> Et une gloire étonnante jaillit de cette complexité de lignes et de couleurs, tendres ou éclatantes. Ne dirait-on pas que la ligne courbe et la spirale font leur cour à la ligne droite et dansent autour, dans une muette adoration? ... Et quel est, cependant, le mortel imprudent qui osera décider si les fleurs et les pampres ont été faits pour le bâton, ou si le bâton n'est que le prétexte pour montrer la beauté des pampres et des fleurs? ... Le bâton, c'est votre volonté, droite, ferme et inébranlable; les fleurs, c'est la promenade de votre fantaisie autor de votre volonté; c'est l'élément féminin exécutant autour du mâle ses prestigieuses pirouettes. Ligne droite et ligne arabesque, intention et expression, roideur de la volonté, sinuosité du verbe, unité du but, variété des moyens, amalgame toutpuissant et indivisible du génie... (285).

Was hier über die "promenade de votre fantaisie autour de votre volonté" zu lesen ist, hat schon einfach durch die Metaphorik (dansent autour, fandango, pirouettes, caprice, pampres, fleurs, sinuosité, arabesque) Bezug zur freien Schönheit, wie sie Kant an den Beispielen der Arabesken, des musikalischen Phantasierens (Franz Liszt ist ja der Adressat!), des Tanzes als Spiel der Gestalten im Raum erläutert. Natürlich muß hier beiseite bleiben, welche Perspektive '*Le Thyrse*' auf Baudelaires Poetik eröffnet.[22] Jetzt kommt

---

[22] Wenn Baudelaire in *De l'essence du rire* "le comique ordinaire" als "une imitation" und "le grotesque" als "une création" unterschei-

es nur auf das an, was wir über das Verhältnis von "bâton nu et sec" und "complexité de lignes et de couleurs",[23] von "intention" und "expression" hören und was wir daraus vielleicht in bezug auf das bei Heine vorliegende Verhältnis von prosaischer, informativer bzw. polemischer "ligne droite (meine Axt)" und poetischer, im Medium der Sprache realisierter "ligne arabesque (mit lachenden Blumen umkränzte)" entnehmen können.

Im Medium der Sprache: denn man muß ja fragen, was sprachlich einer solchen "complexité de lignes et de couleurs" korrespondieren kann. Nun, der Nenner, auf den alle Aspekte des Thyrsus gebracht werden können, ist der Aspekt der Bewegung. Bewegungsarten, Bewegungsrelationen, Bewegungdimensionen erweisen sich gleichsam als eine Meta-Metaphorik. Fünfmal allein kennzeichnet das Wort "autour" das Verhältnis der "complexité" zum "prétexte" oder "sujet"; auch ist es der Bewegungsaspekt, durch den für Baudelaire der Autor De Quincey dem Bild des Thyrsus entspricht: "De Quincey est essentiellement digressif" (390).

Die Vermutung, der jeglichen Informationsgehalt transzendierende Bewegungsaspekt der Sprache verbürge als Möglichkeit nicht-semantischer Formgebung Poesie — diese Vermutung findet durch andere Aussagen Baudelaires Nahrung. Aber auch wo von einem solchen Transzendieren oder Umschlagen in die freie Schönheit von Nicht-Semantischem (digression, fandango, pirouette, entrelacements folâtres, ligne arabesque, sinuosité du verbe etc.) keine Rede ist, scheint der Bewegungsaspekt als nicht-semantische

---

det, wenn er das Groteske als "comique absolu" vom gewöhnlich Komischen als "comique significatif" (S. 985) abhebt, so gibt dies weiterer Anlaß zur Frage, inwiefern seine Poetik und seine Kunsttheorie in der — ich weiß freilich nicht wie vermittelten — Tradition der Kantschen Unterscheidung von freier, "ungegenständlicher" und anhängender, "gegenständlicher" Schönheit stehen mögen.

[23] Vgl. in *Peintures murales d'Eugène Delacroix à Saint Sulpice* Baudelaires Bemerkungen über das Verhältnis von ästhetischer Wirkung und Sujet: "La ligne et la couleur font penser et rêver toutes les deux; les plaisirs qui en dérivent sont d'une nature différente, mais parfaitement égale et absolument indépendante du sujet du tableau ... Une figure bien dessinée vous pénètre d'un plaisir tout á fait étranger au sujet. Voluptueuse ou terrible, cette figure ne doit son charme qu'á l'arabesque qu'elle découpe dans l'espace" (S. 1124).

poetische Valenz betont zu sein; so in einem Passus der Widmung der 'Petits Poèmes en Prose' an Arsène Houssaye:

> Quel est celui de nous qui n'a pas, dans ses jours d'ambition, rêvé le miracle d'une prose poétique, musicale sans rythme et sans rime, assez souple et assez heurtée pour s'adapter aux mouvements lyriques de l'âme, aux ondulations de la rêverie, aux soubresauts de la conscience (229)?

In diesen Bestimmungen einer "prose poétique" mag zunächst nur die eine Wendung "soubresauts de la conscience" an Heine erinnern, und zwar an die Stelle der Vorrede zur französischen Ausgabe der 'Reisebilder', die von der Problematik der Übersetzung spricht:

> Le style, l'enchaînement des pensées, les transitions, *les brusques saillies* [Hervorhebung W. P.], les étrangetés d'expression, bref, tout le caractère de l'original allemand a été, autant que possible, reproduit mot à mot dans cette traduction francaise des *Reisebilder*. Le goût, l'élégance, l'agrément, la grâce, ont été impitoyablement sacrifiés partout à la fidélité littérale ... Enfin, je veux instruire, sinon amuser (3, 507).

Auch Heine charakterisiert seine Schreibart, indem er in erster Linie den Bewegungsaspekt hervorkehrt, Weisen der Bewegung oder der räumlichen Relation als wesentlich andeutet. Die Klimax "l'enchaînement, les transitions, les brusques saillies" scheint mir auf derselben Ebene zu liegen wie Baudelaires Kategorien einer poetischen Prosa, sofern die Wahrnehmung nicht-semantischer poetischer Valenz identisch ist mit der Wahrnehmung der verschiedenen Bewegungsarten und Bewegungslineaturen, die sich in der sprachlichen Progression verwirklichen lassen. 1886 stellt dann René Ghil die vielberufene These auf, Kunst müsse primär "mouvement, passage, et traduction de mouvement" sein.[24]

Brechen wir hier ab. Es ging nur um den Aufriß einer Möglichkeit, Heines 'Reisebilder' als Poesie zu legitimieren, ohne von der Frage nach "the meaning of the structure" (E. Wilkinson) auszugehen und ohne das Poetische seiner Schreibart als das ständige

---

[24] Zit. nach Fritz Nies, *Poesie in prosaischer Welt. Untersuchungen zum Prosagedicht bei Aloysius Bertrand und Baudelaire.* Heidelberg 1964 (Studia Romanica 7). S. 235

Umschlagen von Form in Inhalt, von Inhalt in Form (Hegel, Lukács) auszuweisen. Baudelaires 'Le Thyrse' sowie seine Charakteristik einer poetischen Prosa ließen erwägen, wieweit Heines Bild der von lachenden Blumen umkränzten Streitaxt und sein Hinweis auf die (in der Übersetzung der 'Reisebilder' schwer zu erhaltende) Polarität von "instruire" und "amuser" für das Verhältnis von Prosa und Poesie in den 'Reisebildern' etc. relevant sein könnten und wieweit es sich dabei um die Poesie sprachlicher Bewegungslineatur handeln könnte. Daß sich diese Möglichkeit nicht gleich von der Hand weisen läßt, daß Heines gesamte Prosa[25] diese Perspektive — auch wenn sie erst durch die Betrachtung späterer Phänomene der literarischen Moderne provoziert ist — nicht als ganz schiefe verbietet, kann behauptet werden. Daß sie dennoch nicht die letztlich angemessene sein kann, weil das Hervortreten des Bewegungsaspekts doch wieder semantische und kommunikative Funktion hat, muß sich im Folgenden erweisen.

---

[25] Ich denke da sogar an ein scheinbar so dichtungsfernes Werk wie die unter dem Titel *Lutezia* gesammelten Berichte aus Paris. Denn selbst dieses Werk nennt Heine in dem Zueignungsbrief an den Fürsten Pückler-Muskau "zugleich ein Produkt der Natur und der Kunst": ein Produkt der Natur, weil die Berichte als "ein daguerrotypisches Geschichtsbuch, worin jeder Tag sich selber abkonterfeite," gelten könnten; ein Produkt der Kunst "durch die Zusammenstellung solcher Bilder, in der sich der ordnende Geist des Künstlers" bewähre. In bezug auf diese Zusammenstellung fällt nun wieder das Wort 'Arabeske', wenn Heine die Verwebung von Berichterstattung und Schilderung des Kuriosen und Ausgefallenen, Abseitigen rechtfertigt. Zwar interpretiert er den zunächst wieder auf die Polarität von "instruire" und "amuser" verweisenden Begriff ("um die betrüblichen Berichterstattungen zu erheitern") dann doch als ein Moment der Informationsabsicht, als unvermeidlichen Zug für "ein ehrliches Daguerrotyp: und wenn ich unter solchen Arabesken manche allzu närrische Virtuosenfratze gezeichnet, so geschah es nicht, um irgend einem längst verschollenen Biedermann des Pianoforte oder der Maultrommel Herzeleid zuzufügen, sondern um das Bild der Zeit selbst in seinen kleinsten Nuancen zu liefern" (4, 135f.). Aber immerhin: selbst eine scheinbar rein publizistische Schrift heißt ein Produkt der Natur und der Kunst (vgl. dazu den folgenden Beitrag), und der spezifische Kunstcharakter wird wieder partiell durch die Kategorie gekennzeichnet, die spätestens seit der Frühromantik, zusammen mit der Musik, als das ausgezeichnete Beispiel einer nicht-semantischen, a-mimetischen, poetischen Sprachkunst gilt.

III

Wir müssen wieder anknüpfen bei dem Versuch, Struktur und Schreibart der '*Reisebilder*' etc. als mit der die "Kunstperiode" auszeichnenden "Idee der Kunst" kaum vereinbare zu skizzieren. "Design, continuity, structure, a coherent view or vision — all this seems to be as remote from Heine as from any author we can think of", so schreibt B. Fairley in einem der wertvollsten Heine-Bücher über "the travel-books with their parade of illogicality". Und dennoch, bemerkt er, geraten wir bei richtigem Lesen schrittweise "at a sort of loose order in his writings, unsuspected before, like a shifting pattern seen and lost in the bed of the stream". Diese in einem unübertrefflichen Vergleich verdeutlichte lockere Ordnung können wir aber nicht anders nennen als "an order of imagination, and therefore a creative order, an artistic one". Und diese Einsicht endlich läßt uns "forget or suspend for the time being the usual distinction between poet und publicist and think only of the creative personality seeking expression at every turn".[27]

All das trifft ganz genau. Es gilt nur, von unserem Ansatz her zu erkennen, wie sich das Gepräge unablässigen Konsistenzbruchs mit einem fundamentalen "order of imagination" verbinden und vertragen kann. Und da hilft eine Ausage Heines, die man vielleicht auf den ersten Blick kaum mit seinen eigenen Produktionen in Verbindung bringen möchte. In der Einleitung zu '*Shakespeares Mädchen und Frauen*' lesen wir folgende Charakteristik des Dichters:

> Man pflegt zu sagen, daß er der Natur den Spiegel vorhalte. Dieser Ausdruck ist tadelhaft, da er über das Verhältnis des Dichters zur Natur irreleitet. In dem Dichtergeiste spiegelt sich nicht die Natur, sondern ein Bild derselben, das dem getreuesten Spiegelbilde ähnlich, ist dem Geiste des Dichters eingeboren; er bringt gleichsam die Welt mit zur Welt, und wenn er, aus dem träumenden Kindesalter erwachend, zum Bewußtsein seiner selbst gelangt, ist ihm jeder Teil der äußern Erscheinungswelt gleich in seinem ganzen Zusammenhang begreifbar: denn er trägt ja ein Gleichbild des Ganzen in seinem Geiste, er kennt die letzten Gründe aller Phänomene, die dem gewöhnlichen Geiste rätselhaft dünken und auf dem Wege der

---

[26] Barker Fairley, *Heinrich Heine. An Interpretation.* Oxford 1954. S. 160f.

[27] Barker Fairley, Heinrich Heine ... S. 163.

gewöhnlichen Forschung nur mühsam oder auch gar nicht begriffen werden... Und wie der Mathematiker, wenn man ihm nur das kleinste Fragment eines Kreises gibt, unverzüglich den ganzen Kreis und den Mittelpunkt desselben angeben kann: so auch der Dichter, wenn seiner Anschauung nur das kleinste Bruchstück der Erscheinungswelt von außen geboten wird, offenbart sich ihm gleich der ganze universelle Zusammenhang dieses Bruchstücks; er kennt gleichsam Zirkulatur und Zentrum aller Dinge; er begreift die Dinge in ihrem weitesten Umfang und tiefsten Mittelpunkt (5, 379).

Höchstens bis zu den Auslassungspunkten sind diese Sätze für Heines eigene Prosa irrelevant. Denn auf seine besondere Weise erfüllt er auf Schritt und Tritt den Anpruch, wie ein Mathematiker für das kleinste Fragment eines Kreises den ganzen Kreis und den Mittelpunkt desselben anzugeben, das kleinste Bruchstück der Erscheinungswelt als Indiz seines universellen Zusammenhangs aufzufassen. Auf seine besondere Weise schreibt er also durchaus spekulativ, bringt er im Punktuellen einen umgreifenden Horizont zur Geltung, bezieht er die Dinge auf einen nicht unmittelbar gegebenen Mittelpunkt, wie er dies in der zweiten Hälfte des zitierten Passus dem Dichter zutraut und abverlangt.

Der Unterschied — bedeutend genug — ist allerdings, daß bei Heine selbst nicht ein mysteriös dem Dichtergeiste eingeborenes Bild der Welt den "order of imagination", den "creative order" bedingt und bestimmt, daß nicht ein rätselhaft apriorisches Gleichbild des Ganzen die "creative personality seeking expression at every turn" leitet. An die Stelle dieser Prämisse tritt ein — schlicht gesagt — ideologischer[28] Bezugsrahmen. Er erklärt, daß man den "shifting

---

[28] Die Bestimmung des Begriffs Ideologie ist, schon in Rücksicht auf die zerklüftete Begriffsgeschichte, ungemein problematisch und daher uneinheitlich; vgl. Karl Mannheim, Ideologische und soziologische Interpretation der geistigen Gebilde. In: *Jahrbuch für Soziologie* 2 (1928). S. 424-440. Deshalb ist wohl der Hinweis nötig, daß der Begriff hier wie im folgenden unter Abzug der pejorativen Konnotationen verstanden werden muß, also ohne den Gedanken an "distortion of thought by interest", Weltanschauung als Reflex von Klassenlage und Klassenaffekten, apologetische Harmonisierung von Empirie und Doktrin usf. Schon K. Mannheim, Das Problem einer Soziologie des Wissens. In: *Archiv für Sozialwissenschaft und Sozialpolitik* 53 (1925). S. 577-652, hat den Begriff der Ideologie weniger orthodox verwendet, um eine bestimmte, an einer bestimmten Zeitstelle auftretende Denk- und Erfah-

pattern" der 'Reisebilder' ohne Bedenken mit der Fähigkeit in Verbindung bringen kann, die Heine in bezug auf den Dichter am Beispiel des Mathematikers veranschaulicht. Denn was bildet eigentlich diesen "shifting pattern"? Woraus resultieren die ihn erzeugenden rekurrenten Motive und Themen? Welches sind die universellen Zusammenhänge, die anhand kleinster Fragmente der Erscheinungswelt angegeben, welches die Mittelpunkte, die im Erschließen oder Umschreiten der Zirkulatur epideiktisch vergegenwärtigt werden? Da taucht etwa immer wieder jener ideologische Aspekt als Thema oder Motiv auf, um dessentwillen Thomas Mann Heine einen "Weltpsychologen" genannt hat:[29] seine fast

---

rungsstruktur zu kennzeichnen, für die sich kaum ein anderer Begriff anbietet (Selbstrelativierung des Denkens und Wissens, Transzendenz des Denkens und des Gedankensystems auf das Historisch-Soziale, Funktionalisierung der immanenten Phänomeninterpretation auf die Bezugsebene eines dynamischen gesellschaftlichen Seins hin). Noch entschiedener autorisiert neuerdings H. D. Aiken, *The Age of Ideology.* New York 1956. (S. 13-26: Philosophy and Ideology in the Nineteenth Century) einen neutralen, wertfreien Ideologiebegriff zur Bezeichnung eines spezifischen, geschichtlich auf Kant zurückgeführten Verhältnisses von Theoriebildung und Phänomenbereich, ein Verhältnis, das vor allem dadurch bestimmt ist, daß an die Stelle einer vorgegebenen, dogmatischen Korrespondenz zwischen "reason" und "reality" nun jede systematische Betrachtungsweise eigene, nicht-rationale "ultimate commitments or posits" zur Voraussetzung hat. Im Lichte solcher unbefangenen Begriffsbestimmung ist das Wort in diesem Beitrag zu verstehen.

[29] Thomas Mann, *Notiz über Heine* (1908): "Seine Psychologie des Nazarener-Typs antizipiert Nietzsche. Seine tiefe Einsicht in den Gegensatz von Geist und Kunst (nicht etwa nur von Moral und Kunst), seine Frage, ob nicht vielleicht die harmonische Vermischung beider Elemente, des Spiritualismus und des Griechentums, die Aufgabe der gesamten europäischen Zivilisation sei, antizipiert Ibsen und mehr als den." Schon dieser eine Satz beweist, daß Th. Manns Interesse für Heine mit dem zentralen Thema seines eigenen Werkes, mit dem Hauptproblem seiner Reflexion in Verbindung steht. Wieweit gerade die "weltpsychologische" Perspektive Heines in Th. Manns Dichten und Trachten 'aufgehoben' ist, wäre wohl einer besonderen Untersuchung würdig. Als andeutender Beleg seien nur zwei Textstellen konfrontiert: "Judäa erschien mir immer wie ein Stück Occident, das sich mitten in den Orient verloren. In der Tat, mit seinem spiritualistischen Glauben, seinen strengen, keuschen, sogar ascetischen Sitten, kurz mit seiner abstrakten Innerlichkeit, bildet dieses Land und sein Volk immer den

ungeheuerliche und doch als Perspektive so faszinierende wie heuristisch einträgliche Reduktion der Geistes-, Gesellschafts- und Zivilisationsgeschichte auf den typologischen Antagonismus, den er in die Formel *Hellenen und Nazarener* brachte:[30]

> Ein Hader, welcher, alt wie die Welt, sich in allen Geschichten des Menschengeschlechts kundgibt und am grellsten hervortrat in dem Zweikampfe, welchen der judäische Spiritualismus gegen hellenische Lebensherrlichkeit führte, ein Zweikampf, der noch immer nicht entschieden ist und vielleicht nie ausgekämpft wird ... (*Ludwig Börne,* I) (7, 23).

Ein anderes, nicht minder wichtiges und rekurrentes Motiv bzw. Thema ist der Gegensatz der Auffassungen vom Bewegungsverlauf der Geschichte: ob die Geschichte nur eine Multiplikation der

---

sonderbarsten Gegensatz zu den Nachbarländern und Nachbarvölkern, die, den üppigsten und brünstigsten Naturkulten huldigend, im bacchantischen Sinnenjubel ihr Dasein verluderten. Israel saß fromm unter seinem Feigenbaum und sang das Lob des unsichtbaren Gottes und übte Tugend und Gerechtigkeit, während in den Tempeln von Babel, Ninive, Sidon und Tyrus jene blutigen und unzüchtigen Orgien gefeiert wurden, ob deren Beschreibung uns noch jetzt das Haar sträubt" (Heine, *Geständnisse*). — "Der wahre Gegensatz ist der von Ethik und Ästhetik. Nicht die Moral, die Schönheit ist todverbunden, wie viele Dichter gesagt und gesungen haben — und Nietzsche sollte es nicht wissen? 'Als Sokrates und Plato anfingen, von Wahrheit und Gerechtigkeit zu sprechen', sagt er einmal, 'da waren sie keine Griechen mehr, sondern Juden — oder ich weiß nicht was.' Nun, die Juden haben sich, dank ihrer Moralität, als gute und ausharrende Kinder des Lebens erwiesen. Sie haben, nebst ihrer Religion, ihrem Glauben an einen gerechten Gott, die Jahrtausende überdauert, während das liederliche Ästheten- und Artistenvölkchen der Griechen sehr bald vom Schauplatz der Geschichte verschwunden ist" (Th. Mann, *Nietzsches Philosophie im Lichte unserer Erfahrung*). Und wen läßt übrigens die eben zitierte Heine-Stelle nicht an Th. Manns Erzählung *Das Gesetz* denken?

[30] Th. Manns Bewunderung des "Weltpsychologen" bezieht sich auf *Ludwig Börne;* die anderen Schriften, in denen Heine diese Perspektive ausdrücklich entfaltet, sind: *Französische Maler* (L. Robert), *Zur Geschichte der Religion und Philosophie in Deutschland* (I), *Elementargeister, Shakespeares Mädchen und Frauen* (Constanze), *Der Doktor Faust. Ein Tanzpoem* (Erläuterungen), *Geständnisse* und das große letzte Gedicht *Für die Mouche.*

"Menschengeschichte", ein den Naturzyklen analoger "trostloser Kreislauf", ein "trostlos ewiges Wiederholungsspiel" sei; oder ob sie, als progressive "Menschheitsgeschichte", "Emanzipationsgeschichte" sei, ein linearer, gerichteter Prozeß: dies ist ein Aspekt, der mit der "weltpsychologischen" Perspektive klar zusammenhängt, weil die zweite Auffassung ja ihren Grund in einem "Weg- und Prozeßpathos", einem "eschatologischen Gewissen" hat, "das durch die Bibel auf die Welt kam".[31] Nun, dies sind nur zwei Komplexe dessen, was als "shifting pattern" stets wieder zum Vorschein kommt, was Optik, Imagination, Reflexion und Assoziation bestimmt, was für Heine die menschlichen Phänomene und Objektivationen zur "Signatur" werden läßt: "Ich, der sonst die Signatur aller Erscheinungen so leicht begreift, ich konnte dennoch dieses getanzte Rätsel nicht lösen", heißt es einmal in *'Florentinische Nächte'* (II) (4, 358). *Signatur* ist überhaupt ein Vorzugswort Heines; denn es geht ihm in der Tat durchweg darum, Signaturen zu erfassen oder die gegenständlichen Bezugspunkte so zur Sprache zu bringen, daß sie den Charakter der Signatur bekommen. Darin liegt eigentlich das Spekulative seiner Schreibart.[32] Aber dieses Begreifen und Profilieren von Signaturen selbst in winzigsten Realitätssplittern läßt sich eben nicht auf eine schon mit dem angeborenen Dichtergeist zur Welt gebrachte Welt zurückbeziehen, sondern auf einen ideologischen Bezugsrahmen, der allererst gewährt, alles verweisen zu lassen, alles als Signatur zu nehmen, und zwar primär als Signatur der politischen, sozialen, ökonomischen, ideo-

---

[31] Ernst Bloch, Das Prinzip Hoffnung. *Gesamtausgabe* ... Frankfurt a. M. Bd. 5. S. 254. — Auf *Verschiedenartige Geschichtsauffassung* kommt Heine außer in dem (vom Herausgeber so betitelten) kurzen Aufsatz ausführlich zu sprechen in *Französische Maler* (Robert und Delaroche), *Shakespeares Mädchen und Frauen* (Constanze), *Ludwig Börne* (Briefe aus Helgoland).

[32] Bedenkt man, welche Rolle in der romantischen Poetik die "Chiffre" und die "Hieroglyphe" spielen und wie dies mit dem von Heine im Anschluß an Hegel dargelegten Prinzip des Romantischen zusammenhängt ("Die Behandlung ist romantisch, wenn die Form nicht durch Identität die Idee offenbart, sondern parabolisch diese Idee erraten läßt", heißt es in *Zur Geschichte der Religion und Philosophie in Deutschland* I) (4, 202), so bietet das Signaturversessene seiner eigenen Schreibart einen noch kaum beachteten Aspekt des "romantique défroqué".

logischen Bewegungen und Prozesse.[33] Die "creative personality seeking expression at every turn" und der "order of imagination" sind unbestreitbar, man muß nur einsehen, daß ein ideologischer Bezugsrahmen als Spielraum vorgegeben ist. "Insofern verhält sich, wer spricht, spekulativ, als seine Worte nicht Seiendes abbilden, sondern ein Verhältnis zum Ganzen des Seins aussprechen und zur Sprache kommen lassen".[34] Dieser Satz trifft Heines Schreibart durchaus; nur ist die Auswahl des empirischen Materials, sind die dialektischen Kategorien, ist das Verhältnis zum Ganzen fundiert in einem ideologischen Gedanken- und Erfahrungszusammenhang. Die spezifisch ideologische Korrelation von Erfahrungsstruktur, Einstellung und Phänomenbereich ist determinierender Faktor der Vermittlung von Bewußtsein und Welt. Und zwar — dies muß betont werden — eingestandenermaßen. "Unvordenkliche Vermittlung" zu sein, wird der eigenen Produktion weder zugemutet noch zugetraut.

Eine fatale Vereinfachung und Verzerrung wäre es jedoch, wenn man das Verhältnis von ideologischer 'Matrix' und "order of imagination" so sehen wollte, als habe letzterer nur die Funktion, bestimmte Elemente des theoretisch Erfaßten "feuilletonistisch flottzumachen und ins Volk hineinzutragen".[35] Diese allent-

---

[33] Einen guten Beleg dafür liefert im 59. Stück von *Lutezia* der folgende, auf die Gemäldeausstellung des Jahres 1843 bezogene Passus: "Ich quäle mich vergebens, dieses Chaos im Geiste zu ordnen und den Gedanken der Zeit darin zu entdecken oder auch nur den verwandtschaftlichen Charakterzug, wodurch diese Gemälde sich als Produkte unserer Gegenwart kundgeben. Alle Werke einer und derselben Periode haben nämlich einen Charakterzug, das Malerzeichen des Zeitgeistes ... Was wird sich aber unsern Nachkommen, wenn sie einst die Gemälde der heutigen Maler betrachten, als die zeitliche Signatur offenbaren? Durch welche gemeinsame Eigentümlichkeiten werden sich diese Bilder gleich beim ersten Blick als Erzeugnisse aus unserer gegenwärtigen Periode ausweisen? Hat vielleicht der Geist der Bourgeoisie, der Industrialismus, der jetzt das ganze soziale Leben Frankreichs durchdringt, auch schon in den zeichnenden Künsten sich dergestalt geltend gemacht, daß allen heutigen Gemälden das Wappen dieser neuen Herrschaft aufgedrückt ist?" (6, 392).

[34] H. G. Gadamer, *Wahrheit und Methode* ... S. 445.

[35] Wolfgang Harich in der Einleitung zu *Heinrich Heine: Zur Geschichte der Religion und Philosophie in Deutschland*. Frankfurt am Main 1966. S. 24.

halben geläufige Auffassung hat zwar den Vorzug der Schlichtheit für sich, kann aber kaum einsehen lassen, wieso Th. Mann Heines Buch über Börne "die genialste deutsche Prosa bis Nietzsche"[36] nennen mochte. Zum Gegenbeweis müssen wir das Gesichtsfeld einschränken und uns an das Beispiel eines Textes halten; der relativen Kürze wegen empfiehlt sich *'Die Stadt Lucca'*, 1831 im vierten Teil der *'Reisebilder'* veröffentlicht. Allerdings scheint ein Gegenbeweis aussichtslos zu sein, wenn man den Text gleichsam aus der Vogelperspektive rekapituliert. Ich versuche, den inhaltlichen Hauptpunkt der einzelnen Kapitel stichwortartig anzudeuten, wenngleich dies ein der Beschaffenheit des Textes inadäquates Unterfangen bleibt:

I. Reflexionen über die Natur. II. Gespräch mit einem alten Eidechs über Hegels und Schellings Philosophie. III. Einiges über Italien und die Italiener. IV. Typologie der italienischen und deutschen, katholischen und protestantischen Geistlichkeit. V. Schilderung der nächtlichen Prozession in Lucca, Meditation über das Beobachtete. VI. Der Orgel in einer abgelegenen Kirche lauschend, *mit phantasierender Seele der seltsamen Musik noch seltsamere Texte unterdichtend*, zunächst *einige unwillkürliche Worte* über die mit Christus anhebende Weltwende; dann Bericht vom merkwürdig abweisenden Verhalten Francescas auf und nach dem Heimweg von der Abendmesse. VII. Kirchgang mit Francesca und Lady Mathilde; über Del Sartos Hochzeit von Kanaan. VIII. Das "Altägyptische" der katholischen Liturgie. IX. Diskussion mit Lady Mathilde über die Unsterblichkeit. X. Über soldatischen Gehorsam und die Kunst, monarchisch zu regieren. XI. Francescas inbrünstige Devotion und Mathildens Religionsverachtung als Ausdruck katholischer Einheit und moderner Gebrochenheit der Gefühle und des weiblichen Habitus. XII. Mathildens verzweifelt-ambiguoses Bekenntnis zum Bibelglauben; warum Berlin den Bären als Wappentier führt. XIII. Über positive Religionen, Kirchen, Dogmen, Zeremonien als sinnfällige Manifestationen des Übersinnlichen. XIV. Ausfall gegen das Staatskirchentum. XV. Die Revolution als Todesstoß für Aristokratie und Klerisei. XVI. Erinnerung an die Don Quijote-Lektüre im Kindesalter; Don Quijote als Signatur der eigenen Existenz. Späteres Nachwort: Aux armes, citoyens! als Begleitmusik zum *großen Feuerwerk der Zeit.*

Diese höchst gewaltsame Rekapitulation eines seinem Wesen nach

---

[36] Th. Mann, (Stockholmer) *Gesamtausgabe der Werke — Reden und Aufsätze* II. S. 680.

nicht rekapitulierbaren Textes mag wirklich nur auf feuilletonistisch flottgemachte Kritik und Polemik schließen lassen, zumal
wenn man hinzunimmt, was Heine selbst brieflich über 'Die Stadt
Lucca' geäußert hat:

> Das Buch ist vorsätzlich so einseitig. Ich weiß sehr gut, daß die Re-
> voluzion alle sozialen Interessen umfaßt und Adel und Kirche nicht
> ihre einzigen Feinde sind. Aber ich habe, zur Faßlichkeit, die letzte-
> ren als die einzig verbündeten Feinde dargestellt, damit sich der An-
> kampf consolidire. Ich selbst hasse die *aristocratie bourgeoise* noch
> weit mehr. — Wenn mein Buch dazu beyträgt, in Deutschland, wo
> man stockreligiös ist, die Gefühle in Religionsmaterien zu emanci-
> piren, so will ich mich freuen (19. 11. 1830 an Varnhagen) (I, 464f.).
> Das Buch ist stärker im Ausdruck als im Ausgedrückten, es ist nur
> agitatorisch (4. 1. 1831 an Varnhagen) (I, 471).[37]

So stempelt der Autor selber seine Schreibart als eine substantiell
auf publizistische Wirkung kalkulierte, seine Schrift als rein ten-
denziöse ab. Doch an Heines Meinung dürfen wir uns in diesem
Fall nicht halten. Denn dies hieße auf Grund eines Vorurteils verkennen, was bei näherer Betrachtung Faser und Textur dieser
Schreibart ausmacht und auszeichnet: daß nämlich alle zur Sprache
gebrachten Wirklichkeiten — subjektive und objektive, ideelle und
phänomenale, faktische, gedachte, erinnerte und imaginierte — ihre
Bedeutung dadurch haben, daß sich in, mit, hinter ihnen ein Feld
von Vermittlungsrelationen präsentiert, das mit dem ideologischen
Bezugssystem des Subjekts funktional verbunden ist. Anders gesagt: die Realitäten werden nicht um ihrer selbst willen und nicht
primär als solche, auch nicht im Hinblick auf "la realidad como
función genérica" dargestellt,[38] vergegenwärtigt oder reflektiert,
sondern als Signaturen oder Repräsentanten von Zusammenhängen und dialektischen Beziehungen, die sie durch den Bezug auf
eine ideologisch bestimmte und engagierte Erfahrungsstruktur und
Betrachtungsweise gewinnen. Und deshalb ergibt sich eine thema-
tische Konsistenz weder durch die — unmittlbare oder symbolische,
allegorische, parabolische — Darstellung eines Realitätszusammen-
hanges noch durch die Darstellung des Spiels subjektiver Brechun-

---

[37] Zit. nach: Heinrich Heine, *Briefe*. Hrsg. von Friedrich Hirth.
Mainz 1949/50.
[38] J. Ortega y Gasset, *Meditaciones del Quijote*. Madrid 1914.
S. 168.

gen, wie es Hegel als das Prinzip des "subjektiven Humors" beschreibt. Weder ein dem Bild der Wirklichkeit korrespondierendes Modell wird gestaltet, noch wird die Subjektivität der Weltaneignung als solche dargestellt, sondern die Vermittlungsrelation alles Wirklichen für eine Imagination, die zwar von ideologischem Interesse stimuliert, aber gleichwohl wesentliches Organ dieses Interesses ist. Und damit ist etwas ganz anderes gesagt, als daß die Schreibart Heines bloßes Vehikel publizistischer Intention wäre oder als Information oder Agitation, Gesellschaftskritik oder politische Auseinandersetzung getarnt oder belletristisch aufgemacht wäre. Denn nun zeigt sich, wie die "creative personality seeking expression at every turn", der schöpferische, artistische "order of imagination" und der ideologische Bezugsrahmen sich nicht nur vertragen, sondern sich sogar fordern, indem Momente, die sich für die Ästhetik der Kunstperiode und die darin ausgesprochene Idee der Kunst verdrängen oder ausschließen, in ein Funktionsverhältnis treten: das ideologische Moment kann zur hermeneutischen Funktion poetischer Imagination, die poetische Imagination kann zur heuristischen Funktion der ideologischen Erfahrungsstruktur werden.

Diese Thesen bedürfen natürlich der Verifikation an einem möglichst eng begrenzten Textausschnitt. Andeutungsweise soll dies versucht werden, und zwar anhand der ersten Hälfte des 6. Kap. der 'Stadt Lucca'. An Siegfried Kracauers melancholisches Wort, das Detail komme immer nur beschädigt an die Oberfläche, kann allerdings nie genug erinnert werden:

> Jener schenkte nunmehr auch der übrigen
> Götterversammlung,
> Rechtshin, lieblichen Nektar dem Mischkrug emsig
> entschöpfend.
> Doch unermeßliches Lachen erscholl den seligen Göttern,
> Als sie sahn, wie Hephästos im Saal so gewandt
> umherging.
> Also den ganzen Tag bis spät zur sinkenden Sonne
> Schmausten sie; und nicht mangelt' ihr Herz des
> gemeinsamen Mahles,
> Nicht des Saitengetöns von der lieblichen Leier Apollons,
> Noch des Gesangs der Musen mit holdantwortender
> Stimme.
> (Vulgata)

Da plötzlich keuchte heran ein bleicher, bluttriefender Jude, mit einer Dornenkrone auf dem Haupte und mit einem großen Holzkreuz auf der Schulter; und er warf das Kreuz auf den hohen Göttertisch, daß die goldnen Pokale zitterten und die Götter verstummten und erblichen und immer bleicher wurden, bis sie endlich ganz in Nebel zerrannen.

Nun gab's eine traurige Zeit, und die Welt wurde grau und dunkel. Es gab keine glücklichen Götter mehr, der Olymp wurde ein Lazarett, wo geschundene, gebratene und gespießte Götter langweilig umherschlichen und ihre Wunden verbanden und triste Lieder sangen. Die Religion gewährte keine Freude mehr, sondern Trost; es war eine trübselige, blutrünstige Delinquentenreligion.

War sie vielleicht nötig für die erkrankte und zertretene Menschheit? Wer seinen Gott leiden sieht, trägt leichter die eignen Schmerzen. Die vorigen heitren Götter, die selbst keine Schmerzen fühlten, wußten auch nicht, wie armen gequälten Menschen zu Mute ist, und ein armer gequälter Mensch könnte auch in seiner Not kein rechtes Herz zu ihnen fassen. Es waren Festtagsgötter, um die man lustig herumtanzte, und denen man nur danken konnte. Sie wurden deshalb auch nie so ganz von ganzem Herzen geliebt. Um so ganz von ganzem Herzen geliebt zu werden — muß man leidend sein. Das Mitleid ist die letzte Weihe der Liebe, vielleicht die Liebe selbst. Von allen Göttern, die jemals gelebt haben, ist daher Christus derjenige Gott, der am meisten geliebt worden ist. Besonders von den Frauen——

Dem Menschengewühl entfliehend, habe ich mich in eine einsame Kirche verloren, und was du, lieber Leser, eben gelesen hast, sind nicht so sehr meine eignen Gedanken als vielmehr einige unwillkürliche Worte, die in mir laut geworden, während ich, dahingestreckt auf einer der alten Betbänke, die Töne einer Orgel durch meine Brust ziehen ließ. Da liege ich, mit phantasierender Seele der seltsamen Musik noch seltsamere Texte unterdichtend; dann und wann schweifen meine Blicke durch die dämmernden Bogengänge und suchen die dunkeln Klangfiguren, die zu jenen Orgelmelodien gehören. Wer ist die Verschleierte, die dort kniet vor dem Bilde einer Madonna? Die Ampel, die davor hängt, beleuchtet grauenhaft süß die schöne Schmerzenmutter einer gekreuzigten Liebe, die Venus dolorosa; doch kupplerisch geheimnisvolle Lichter fallen zuweilen wie verstohlen auf die schönen Formen der verschleierten Beterin. Diese liegt zwar regungslos auf den steinernen Altarstufen, doch in der wechselnden Beleuchtung bewegt sich ihr Schatten, läuft manchmal zu mir heran, zieht sich wieder hastig zurück wie ein stummer Mohr, der ängstliche Liebesbote eines Harem — und ich versteh ihn. Er verkündet mir die Gegenwart seiner Herrin, der Sultanin meines Herzens.

Es wird aber allmählich immer dunkler im leeren Hause, hie und da huscht eine unbestimmte Gestalt an den Pfeilern entlang, dann und wann steigt leises Murmeln aus einer Seitenkapelle, und ihre langen, langgezogenen Töne stöhnt die Orgel wie ein seufzendes Riesenherz —

Es war aber, als ob jene Orgeltöne niemals aufhören, als ob jene Sterbelaute, jener lebende Tod ewig dauern wollte, ich fühlte so unsägliche Beklommenheit, so namenlose Angst, als wäre ich scheintot begraben worden, ja als wäre ich, ein Längstverstorbener, aus dem Grabe gestiegen und sei, mit unheimlichen Nachtgesellen, in die Gespensterkirche gegangen, um die Totengebete zu hören und Leichensünden zu beichten. Manchmal war mir, als sähe ich sie wirklich neben mir sitzen, in geisterhaftem Dämmerlichte, die abgeschiedene Gemeinde, in verschollen altflorentinischen Trachten, mit langen, blassen Gesichtern, goldbeschlagene Gebetbücher in dünnen Händen, heimlich wispernd und melancholisch einander zunickend. Der wimmernde Ton eines fernen Sterbeglöckchens mahnte mich wieder an den kranken Priester, den ich bei der Prozession gesehen, und ich sprach zu mir selber: "Der ist jetzt auch gestorben und kommt hierher, um die erste Nachtmesse zu lesen, und da beginnt erst recht der traurige Spuk." Plötzlich aber erhob sich von den Stufen des Altars die holde Gestalt der verschleierten Beterin —. Ja, sie war es, schon ihr lebendiger Schatten verscheuchte die weißen Gespenster, ich sah jetzt nur sie, ich folgte ihr rasch zur Kirche hinaus . . . (3, 394ff.).

Das vorausgehende 5. Kap. schildert die nächtliche Prozession, wie sie dem Zuschauer zur Signatur dessen wird, was dem Auftreten Christi gegen die in den Ilias-Versen evozierte antike Welt folgte: "Das Leben ist eine Krankheit, die ganze Welt ein Lazarett" (3, 393). Die imaginäre szenische Erinnerung dieser Weltwende zu Beginn des 6. Kap. geht dann über in eine Meditation der bewußtseins- und gesellschaftsgeschichtlichen Notwendigkeit einer 'Kehre' des Welt- und Lebensverständnisses. Erst darauf erfahren wir, daß das eben Imaginierte und Meditierte nicht mehr Replik auf den Eindruck der Prozession ist, sondern innere Resonanz der Orgelklänge in der einsamen dunklen Kirche, daß es sich um ein durch die Musik stimuliertes Projizieren in die Musik handelt: "mit phantasierender Seele der seltsamen Musik noch seltsamere Texte unterdichtend." Das ist ein Beispiel, wie es im Bereich der Stimmung zu jener poetischen "Weltergänzung" kommen kann, die in dem weiter oben zitierten Passus der Vergleich mit dem Mathematiker verdeutlicht. Dem Wortlaut nach sind allerdings Orgelspiel,

Kirchenraum und Szenerie der Anlaß zu unwillkürlicher Reflexion, aber genau so gut gilt umgekehrt, daß die Reflexion die Matrix des Wahrnehmungs- und Stimmungsmusters ist: der "order of imagination" bildet sich auf Grund einer schon durchweg ideologisch vermittelten Wirklichkeit. Das zeigt sich in der Folge noch deutlicher. Die Blicke suchen *"die dunklen Klangfiguren, die zu jenen Orgelmelodien gehören."* Was sind nun solche synästhetischen, dem Stöhnen und Seufzen der Orgel korrespondierenden Phänomene? Offenbar doch alles, was bis zum Verlassen der Kirche an Vorhandenem oder Imaginärem zur Sprache kommt. Um das aber richtig und komplex zu erfassen, müssen wir einsehen, wieso diese faktischen und imaginären Phänomene den Sterbelauten der Orgel als dunkle Klangfiguren zugehören. Der Autor nennt am Anfang die Illias die "Vulgata" — die von Voss als einem andern Hieronymus ins Deutsche übersetzte Bibel des Hellenentums. Und er nennt dann die Schmerzensmutter in der Kirche die "Venus dolorosa" — die Liebesgöttin des Nazarenertums. Übers Kreuz werden die beiden antagonistischen Welten aufeinander bezogen und somit konträr verbunden, indem je eine Komponente der einen Welt durch einen der anderen Welt entnommenen Namen bezeichnet wird.[39] Und auf diese kontrastierend-beziehende Perspektive geht nun alles zurück, was scheinbar reine Impression, reines Stimmungsbild ist. Was auch den schweifenden Blicken auffällt oder imaginär aufsteigt, ist höchst pointiert dem in den Ilias-Versen Ausgesagten zugeordnet: den wie ein seufzendes Riesenherz stöhnenden Orgeltönen das Saitengetön der lieblichen Leier Apollos, dem leisen, wohl als Responsorium aufzufassenden Murmeln in der Seitenkapelle der Gesang der Musen mit hold antwortender Stimme, dem heimlichen Wispern und melancholischen Einander-Zunicken der unheimlichen Nachtgesellen das unermeßliche Lachen der seligen Götter, der dann und wann an den Pfeilern entlang huschenden unbestimmten Gestalt der so gewandt umhergehende Hephästos, der abgeschiedenen Gemeinde in der Gespensterkirche

[39] Vgl. im Kap. 3 des *Rabbi von Bacherach* Isaaks Bekenntnis: "Ja, ich bin ein Heide, und ebenso zuwider wie die dürren freudlosen Hebräer sind mir die trüben, qualsüchtigen Nazarener. Unsere liebe Frau von Sidon, die heilige Astarte, mag es mir verzeihen, daß ich vor der schmerzensreichen Mutter des Gekreuzigten niederknie und bete ... Nur mein Knie und meine Zunge huldigt dem Tode, mein Herz blieb treu dem Leben!" (4, 486)

die Götterversammlung auf dem Olymp, der Nachtmesse, die ja das Abendmahl einschließt, das gemeinsame Mahl der Götter. Zug um Zug spiegelt sich das Bild der olympischen Festlichkeit in Aspekten der Delinquentenreligion. Wie okkasionell und stimmungshaft, ja lyrisch die Schilderung anmuten mag: es erweist sich, daß alles Geschilderte, Faktisches und Imaginäres, auf die "weltpsychologische" Bezugsebene hin funktionalisiert ist. Und das gilt erst recht für die Schilderung der Verschleierten, die vor dem Bilde der Madonna kniet. Wer wollte sagen, da würde ein Theorem über das Verhältnis von christlicher Religion und weiblicher Natur, von Katholizismus und Libido illustriert, würde die von Th. Mann bewunderte Psychologie des Nazarenertums feuilletonistisch flottgemacht? Und doch ist das Geschilderte so arrangiert, daß dem richtig eingestellten, esoterischen Heine-Leser[40] die

[40] Daß der Heine-Leser ein esoterischer Leser sein sollte, läßt sich u. a. daraus herleiten, daß ihm die Texte als Resultat einer esoterischen, d. h. die immanente Interpretation überschreitenden Exegese der Geschichte und der geistigen Gebilde präsentiert werden. So gern Heine von seiner Fähigkeit spricht, Signaturen zu begreifen, so gern beruft er sich auf seine esoterische Leseart menschlicher Phänomene und Objektivationen: "Ja, schon seit achtzehn Jahrhunderten dauert der Groll zwischen Jerusalem und Athen, zwischen dem Heiligen Grab und der Wiege der Kunst, zwischen dem Leben im Geiste und dem Geist im Leben; und die Reibungen, öffentliche und heimliche Befehdungen, die dadurch entstanden, offenbaren sich dem esoterischen Leser in der Geschichte der Menschheit. Wenn wir in der heutigen Zeitung finden, daß der Erzbischof von Paris einem armen toten Schauspieler die gebräuchlichen Begräbnisehren verwehrt, so liegt solchem Verfahren keine besondere Priesterlaune zum Grunde, und nur der Kurzsichtige erblickt darin eine engsinnige Böswilligkeit. Es waltet hier vielmehr der Eifer eines alten Streites, eines Todeskampfes gegen die Kunst, welche von dem hellenischen Geist oft als Tribüne benutzt wurde, um von da herab das Leben zu predigen gegen den abtötenden Judaismus: die Kirche verfolgte in den Schauspielern die Organe des Griechentums, und diese Verfolgung traf nicht selten auch die Dichter, die ihre Begeisterung nur von Apollo herleiteten und den proskribierten Heidengöttern eine Zuflucht sicherten im Lande der Poesie" (*Shakespeares Mädchen und Frauen*; 4, 373f.). So wie hier will Heine durchweg esoterischer Leser sein, indem er die Geschichte, die gesellschaftlichen Phänomene und die Kulturobjektivationen von einem außerhalb der immanenten Sinnsphäre gesetzten Faktorensystem her interpretiert, so daß die immanenten Strukturen, Zusammenhänge, Sinnbezüge stets Index- oder Funktions-

Verflechtung, Verkreuzung, Verquickung von Sensualismus und Spiritualismus, von "demütigem Entsagen und frecher Genußsucht" (6, 500; *Der Doktor Faust*', Erläuterungen) als rekurrentes, weil von einer ideologischen Erfahrungsstruktur forciertes Muster deutlich wird. Schon der Name "Venus dolorosa" wird zur Formel des Ambiguosen, Verschleierten, das sich anschließend in den optischen Erscheinungen mit der Bedeutung geltend macht, daß das Naturhaft-Geschlechtliche als verborgenes oder verdrängtes Moment im Religiösen wirksam ist, daß Nazarenisches und Hellenisches gleichsam changieren, daß die religiöse Devotion hier im Grunde die entfremdete oder sublimierte Form erotischer Hingabe ist.[41] Ein ideologischer "pattern" ist hier derart in den immanenten Zusammenhang des Geschilderten hineinprojiziert, daß man behaupten kann, ideologische Hermeneutik und poetische Heuristik sind komplementär. Die von den Orgeltönen ausgelöste Meditation determinierte die Schilderung der konkreten Szenerie: der ver-

---

wert erhalten. *Französische Maler, Die Romantische Schule, Zur Geschichte der Religion und Philosophie in Deutschland* und *Über die französiche Bühne* sind besonders eindrucksvolle Beispiele.

[41] Vgl. im 15. Kap. der *Reise von München nach Genua* die Schilderung des Doms in Trient. Dort ist sehr schön zu sehen, in welchem Maß der ideologische Bezugsrahmen zum Spielraum einer ungemeinen Sensitivität für Atmosphärisches und Psychisches werden kann und welche subtile ästhetische und psychologische Valenzen einer Situation auf der Folie eines ideologischen Sinnzusammenhangs zum Vorschein kommen können. Ein naiver Leser wird auch in diesem knappen Kapitel die Dimensionen außer acht lassen, die der im Sinn Heines esoterische Leser in jedem Zug der Schilderung gewahrt: im Vergleich, der zwischen dem "besänftigend magischen Lichte" im alten katholischen Dom und den protestantischen Kirchen Norddeutschlands angestellt wird, "wo das Licht so frech durch die unbemalten Vernunftscheiben hineinschießt"; in dem merkwürdig Floralen der betenden Frauenzimmer; im Lob des Katholizismus als "eine gute Sommerreligion", der Andacht als "Seelensiesta"; in der Beschreibung der aus dem Beichtstuhl hängenden schönen Damenhand, die im Gegensatz zu den nur gedankenlosen, vegetabil animalischen Händen junger Mädchen "so etwas Geistiges, so etwas geschichtlich Reizendes hat und die den Eindruck erweckt, als ob sie nicht mitzubeichten brauchte," usf. Auch in diesem Kapitel wird man nur Impressionen und geistreiche Aperçus registrieren, wenn man nicht die Beziehung zwischen Sensorium, Phantasie und Hintergrundideologie erfaßt und also die Korrelation von Imaginativem, Kreativem, Artistischem und ideologischem '*pattern*' verkennt.

schleierten Beterin, des Madonnenbildes, des Spiels von Lichtern und Schatten, der Bewegungen und Geräusche, des sich imaginär Aufdrängenden; und auf Grund dieser Determination ist mit jedem Bruchstück aus der Erscheinungswelt zugleich eine Zirkulatur, ein Mittelpunkt, ein universeller Zusammenhang gegeben. Die Richtung aber, in die die Meditation gelenkt wird, ist durch einen ideologischen Sinnzusammenhang determiniert; denn nur durch den Bezug auf diesen ist ja das Orgelspiel Stimme und Ausdruck eines lebenden Todes. Der Gegenstand der Meditation und Reflexion — die Ablösung einer Religion der Lebensheiterkeit durch eine Delinquentenreligion — wird Signatur der Phänomene im Kircheninnern, jedoch diese Phänomene erweisen sich reziprok als Signatur des Meditationsgegenstandes: einer Mentalität, die ihre religiöse Projektion in dem am Anfang des Kapitels imaginativ vergegenwärtigten 'Mythos' hat. Und im Lichte dieses 'Mythos' erweist sich nun auch der Bericht vom Heimweg mit der verschleierten Beterin als Vergegenwärtigung der in der Episode greifbaren Vermittlungsrelationen:

> Die Straßen waren leer geworden, die Häuser schliefen mit geschlossenen Fensteraugen, nur hie und da, durch die hölzernen Wimpern, blinzelte ein Lichtchen. Oben am Himmel aber trat ein breiter hellgrüner Raum aus den Wolken hervor, und darin schwamm der Halbmond, wie eine silberne Gondel im Meer von Smaragden. Vergebens bat ich Francesca, nur ein einziges Mal hinaufzusehen zu unserem alten, lieben Vertrauten; sie hielt aber das Köpfchen träumend gesenkt. Ihr Gang, der sonst so heiter dahinschwebend, war jetzt wie kirchlich gemessen, ihr Schritt war düster katholisch, sie bewegte sich wie nach dem Takte einer feierlichen Orgel, und wie in früheren Nächte die Sünde, so war ihr jetzt die Religion in die Beine gefahren. Unterwegs vor jedem Heiligenbilde bekreuzte sie sich Haupt und Busen; vergebens versuchte ich ihr dabei zu helfen. Als wir aber auf dem Markte der Kirche von San Michele vorbeikamen, wo die marmorne Schmerzenmutter mit den vergoldeten Schwertern im Herzen und mit der Lämpchenkrone auf dem Haupte aus der dunklen Nische hervorleuchtete, da schlang Francesca ihren Arm um meinen Hals, küßte mich und flüsterte: "Cecco, Cecco, caro Cecco (3, 396f.)!"

Die Küsse galten eigentlich einem früheren Geliebten, der nun Abbate ist. Damit ist aber Francescas Beziehung zur "Schmerzenmutter einer gekreuzigten Liebe" in der Kirche und zur "Schmerzenmutter mit den vergoldeten Schwertern im Herzen" auf dem Markte höchst ambiguos, sofern Francesca ihren eigenen Liebesschmerz wiedergespiegelt findet und sofern Cecco selbst eine gekreuzigte, nämlich eine der Delinquentenreligion geopferte Liebe ist.[42] Und so wie hier steht schon die Schilderung des taghellen öden Lucca im 5. Kap. im Zeichen der Entsagungs- und Verdrängungseffekte, die für Heines Psychologie des Nazarenertums so wesentlich sind. Das fällt besonders an der Stelle auf, wo "ein feines ironisches Glöcklein" (3, 390) im Autor alle Novellen des Boccaccio kichern läßt, wo also die Szene mit dem Mönch und dem vollbusigen nackten Weibsbild zur Signatur der liberalen, emanzipatorischen Tendenz der Renaissance wird; freilich ohne daß das Grauen weicht, das die Seele angesichts der grab- und leichenartigen Stadt durchschauert. Einer Stadt, die dann erst mit der nächtlichen Prozession, im Banne des Kreuzes, der Askese, des Martyriums lebendig wird, um das "Vermählungsfest mit dem Tode" zu feiern, "zu dem sie Schönheit und Jugend eingeladen hat" (3, 390).

Soweit der Versuch, die Wechselwirkung von ideologischer Erfahrungsstruktur und imaginativer Schreibart zu erhellen. Wie sich über weite Strecken hin der "shifting pattern seen and lost in the bed of the stream" nach demselben Prinzip bildet, mag ein Blick in die *Reise von München nach Genua* zeigen. Rekurrent, muster-bildend sind hier neben anderem Prospekte und Episoden, in denen der Kontrast zwischen dem gegenwärtigen, von Österreich und der Kirche bevormundeten und depravierten Italien und der geschichtlichen Potenz der römischen Antike und der italienischen Renaissance zum Vorschein kommt. Durch diesen Gesichts-

---

[42] Vgl. im *Nachwort zu Weills Novellen* (1847): "Ach! ich bin ja noch ein Kind der Vergangenheit, ich bin ja noch nicht geheilt von jener knechtischen Demut, jener knirschenden Selbstverachtung, woran das Menschengeschlecht seit anderthalb Jahrtausenden siechte, und die wir mit der abergläubischen Muttermilch eingesogen ... Aber unsere gesünderen Nachkommen werden in freudigster Ruhe ihre Göttlichkeit betrachten, bekennen und behaupten. Sie werden die Krankheit ihrer Väter kaum begreifen können. Es wird ihnen wie ein Märchen klingen, wenn sie hören, daß weiland die Menschen sich alle Genüsse dieser Erde versagten, ihren Leib kasteiten und ihren Geist verdumpften, Mädchenblüten und Jünglingsstolz abschlachteten, beständig logen und greinten, das abgeschmackteste Elend duldeten ... ich brauche wohl nicht zu sagen, wem zu Gefallen!" (7, 370)

punkt findet der Autor als esoterischer Leser in der Geschichte auf Schritt und Tritt Gelegenheit, Bruchstücke aus der Erscheinungswelt auf das Ganze der Epoche und der sie bildenden politischen, gesellschaftlichen und geistigen Prozesse zu beziehen. Im Kap. 14 heißt es von Trient: "Diese Stadt liegt alt und gebrochen in einem weiten Kreise von blühenden grünen Bergen, die, wie ewig junge Götter, auf das morsche Menschenwerk herabsehen" (3, 241). Das erinnert gewiß mitsamt der weiteren Schilderung der "blühenden Ruinen" (süße Weinreben umranken gebrechliche Pfeiler, noch süßere Mädchengesichter gucken aus trüben Bogenfenstern hervor) an ein zwischen Hainbund und Spätromantik, Hölty und Eichendorff geradezu wucherndes Motiv, das in dem Schiller-Vers "Und neues Leben blüht aus den Ruinen" zum geflügelten Wort wurde. Aus diesem Rahmen fällt aber der Vermerk, daß in der ebenfalls gebrochen und morsch daliegenden Burg "nur noch Eulen und österreichische Invaliden hausen." Denn durch diesen Vermerk treten zerfallende Kulturmonumente, Wiederherstellungskraft der Natur und menschliche Vitalität in eine spezifische, aktuelle Beziehung. Das Kap. 19 handelt von der Bedeutung der Opera buffa: sie erlaubt dem armen, geknechteten, mundtot gemachten Italien, "die Gefühle seines Herzens kundzugeben" (3, 251). Alle Empörung über Knechtschaft und Ohnmacht, alle Erinnerung vergangener Größe, alle Begeisterung für die Freiheit, alle Hoffnung auf eine Wende haben sich in Musik verkappt:[43]

> Das ist der esoterische Sinn der Opera Buffa. Die exoterische Schildwache, in deren Gegenwart sie gesungen und dargestellt wird, ahnt nimmermehr die Bedeutung dieser heiteren Liebesgeschichten, Liebesnöte und Liebesneckereien, worunter der Italiener seine tödlichsten Befreiungsgedanken verbirgt, wie Harmodius und Aristogiton ihren Dolch verbargen in einem Kranze von Myrten. Das ist halt närrisches Zeug, sagt die exoterische Schildwache, und es ist gut, daß sie nichts merkt (3, 251).

Im Kap. 24 sprechen die Mauern des Amphitheaters von Verona "in ihrem fragmentarischen Lapidarstil" zum abendlichen Besucher von der Geschichte des alten Rom,

---

[43] Vgl. im Kap. 27 die Replik des blassen Italieners auf den Vorwurf eines Briten, die Italiener seien politisch indifferent.

da plötzlich erscholl das dumpfsinnige Geläute einer Betglocke und das fatale Getrommel des Zapfenstreichs. Die stolzen römischen Geister verschwanden, und ich war wieder ganz in der christlich österreichischen Gegenwart (3, 263).

Im Kap. 25 führt anschließend der nächtliche Spaziergang durch Verona zu weiteren Begegnungen mit Zeugnissen großer italienischer Geschichte, aber:

Als ich an den römischen Triumphbogen kam, huschte eben ein schwarzer Mönch hindurch, und fernher erscholl ein deutsch brummendes 'Wer da?'. "Gut Freund!" greinte ein vergnügter Diskant (3, 264).

Im Kap. 28 wirft ein mitternächtlich von der Fassade herabgestiegenes Heiligenbild die Frage auf, was mit dem Mailänder Dom geschehen könne, "wenn einst das Christentum vorüber ist":

Wenn einst das Christentum vorüber ist — Ich war schier erschrocken, als ich hörte, daß es Heilige in Italien gibt, die eine solche Sprache führen, und dazu auf einem Platze, wo österreichische Schildwachen, mit Bärenmützen und Tornistern, auf und ab gehen (3, 272f.).

Die "Konstantinische Tradition" der Kirche, das Bündnis zwischen Thron und Altar, zwischen Kirche und Privilegierten, die Allianz von italienischem Klerus und fremder Herrschaft, die Interessenten und Repräsentanten der Restauration: das alles kann also nicht zu oft vergegenwärtigt werden. Aber dem esoterischen Exegeten der Geschichte ist auch dieser in winzigen Splittern der Erscheinungswelt pointierte Zusammenhang doch wieder nur eine Signatur. Im Kap. 29 visiert er die Zukunftsprospekte der Epoche Napoleons an. Auf dem Schlachtfeld von Marengo dünkt ihn,

als ob jetzt mehr geistige Interessen verfochten würden als materielle, und als ob die Welthistorie nicht mehr eine Räubergeschichte, sondern eine Geistergeschichte sein solle (3, 274).

Er sieht kommen, daß hinfort die politischen Auseinandersetzungen durch ideologische Gegnerschaften bestimmt sein werden; eine "geistige Parteipolitik" wird die "materielle Staatenpolitik" begleiten und endlich funktionalisieren, denn schon jetzt kann in der Welt auch nicht der geringste Kampf vorfallen, bei dem, durch jene Parteipolitik, die allgemein geistigen Bedeutungen nicht sogleich erkannt, und die entferntesten und heterogensten Parteien nicht gezwungen würden, pro und contra Anteil zu nehmen (3, 275).

Schon jetzt bilden sich durch die Verschränkung von "Geisterpolitik" und Staatenpolitik "zwei große Massen, die feindselig einander gegenüberstehen und mit Reden und Blicken kämpfen".

Und im Hinblick auf diese im Grund ideologisch geschiedenen Blöcke stellt er die für sein pro und contra entscheidende Frage:

> Was ist aber diese große Aufgabe unserer Zeit? — Es ist die Emanzipation. Nicht bloß die der Irländer, Griechen, Frankfurter Juden, westindischen Schwarzen und dergleichen gedrückten Volkes, sondern es ist die Emanzipation der ganzen Welt, absonderlich Europas, das mündig geworden ist, und sich jetzt losreißt von dem eisernen Gängelbande der Bevorrechteten, der Aristokratie (3, 275).

Damit ist artikuliert, was als Pol-Idee der Hintergrundideologie die Gewähr bietet, daß in einem scheinbar nur durch Zufall und Einfall zustandegekommenen Oberflächenzusammenhang der "shifting pattern" aus Vermittlungsrelationen sich bildet, ein stets wieder abreißendes, stets wieder an neuer Stelle sich einstellendes Muster, das man ebensowenig auf eine "subjektivistische Geistreichigkeitshaltung" zurückführen wie mit symbolischer oder allegorischer Darstellung in Verbindung bringen darf.

Was tatsächlich vorliegt und übrigens nochmals Licht auf den subjektiven Faktor des "shifting pattern" wirft, hat Heine selbst in einem der 'Gedanken und Einfälle' (wenn auch ohne ausdrücklichen Bezug auf seine eigene Schreibart) angedeutet:

> Eine Assoziation der Ideen, in dem Sinne wie Assoziation in der Industrie, z. B. Verbündung philosophischer Gedanken mit staatswirtschaftlichen, würde überraschende neue Resultate ergeben (7, 433).

Diese Methode — sie erinnert stark an Lichtenbergs Bedürfnis, im Kopf "Kanäle zu ziehen" — kann durchaus als Korrelat sowohl der Lust, Signaturen zu begreifen, als auch einer esoterischen Auslegung menschlicher Phänomene, Begebenheiten und Objektivationen gesehen werden. Wir brauchen wohl keine weiteren Textbeispiele heranzuziehen zum Beleg, wie in Heines Prosa die Assoziation der Ideen, die Allianz verschieden verhafteter Gedanken im

Sinn obiger Bemerkung funktioniert, wie also beispielsweise religionsgeschichtliche Gedanken mit kunsttheoretischen, kunsttheoretische mit sozialpsychologischen, sozialpsychologische mit geschichtsphilosophischen, geschichtsphilosophische mit ethnologischen eben nicht nur sachlich, sondern perspektivisch verbündet werden. In dieser Koalition von Gesichtswinkeln zeigt sich vor allem die eigentliche Potenz des so gern gerühmten und meist so naiv und vordergründig aufgefaßten Heineschen Witzes[44] — eines Witzes, zu dessen Momenten nicht nur Assoziation und Kombinatorik gehören, sondern auch die Kunst der Verfremdung als "Zurüstung eines epatierenden Fernspiegels über allzu Vertrautem, damit der Mensch sowohl darüber betroffen werde wie davon richtig betroffen sei".[45] Assoziation der Ideen aber gehört zu diesem Witz der-

[44] Es bereitet Pein, als Muster dieses Witzes wie eh und je die ziemlich schalen Einfälle und Späße bejubelt zu finden, die erst in den nach 1831 geschriebenen Texten selten werden, also Witze wie: Er (Rothschild, W. P.) behandelt mich ganz wie seinesgleichen, ganz famillionär (3, 323) — alle ordentlichen und unordentlichen Professoren (4, 16) — sie war sogar oft in der Lage, wo sie ihr letztes Hemd weggab, wenn man es verlangte (4, 101) — eine dicke untersetzte Person mit weißen Haaren und blonden Zähnen — Hamburg ist die beste Republik. Seine Sitten sind englisch, und sein Essen ist himmlisch (4, 98). Gewiß zeigt sich auch in solchen Witzen die emanzipierte Respektlosigkeit, auf die es ankommt, wenn Konventionen, Klischees, Tabus und emotionale Schablonen zersetzt werden sollen. Aber subtiler und luzider ist es doch, wenn in den *Bädern von Lucca* unendlich böse in bezug auf Platen Psychologie der Homosexualität und Literaturkritik assoziiert sind, wenn in den Kap. 4 und 14 der *Stadt Lucca* die Reflexion über merkantilisch-ökonomische Formen in die Betrachtung von protestantischem und katholischem Klerus, Staatskirchentum und Konfessionspluralismus eingeführt ist, oder wenn im Kap. 8 des *Schnabelewopski* auf der Plattform kulinarischer Gedanken über die nationalen Frauentypen reflektiert wird — gar nicht zu sprechen von dem systematischen, Fernstes und Nächstes vermittelnden Witz der *Geständnisse*. Aber dieser nicht so knallige und punktuelle, dafür im Zuge der Verfremdung sich durchhaltende und fortpflanzende Witz wird oft gar nicht mitregistriert, wenn in der Heine-Literatur die "Glanzlichter" witziger Pointierung "aufgezeigt" werden. Die Favoritenstellung der *Harzreise* muß man wohl leider auch teilweise als Index für pubertären oder unterentwickelten Witz-Geschmack werten.

[45] Ernst Bloch, Entfremdung, Verfremdung. In: *Gesamtausgabe* ... Frankfurt a. M. Bd. 9. S. 283.

gestalt, daß verschieden zentrierte und verschieden gelagerte Gedankenhorizonte und Reflexionsebenen ineinanderspielen, damit der Leser mit neuen Augen sehen muß, damit der witzige "order of imagination" erstarrte Denk-, Empfindungs- und Bewertungsweisen auflockert oder erschüttert. Man beachte aus diesem Gesichtswinkel einmal das Assoziieren theaterkritischer, völkerpsychologischer, soziologischer und politischer Gedanken in '*Über die französische Bühne*', auf das der Autor wohl selbst anspielt, wenn er in scheinbarer Selbstverurteilung im 3. Brief von den "verworrenen Gedanken in einem noch verworreneren Stile", von einer "geschriebenen Wildnis" spricht. (4, 506). Aber auch in der keineswegs jokos wirkenden Prosaschrift '*Die Nordsee*' wird man das Prinzip des horizontal wie vertikal assoziierenden Witzes nicht verkennen dürfen. In dieser frühen Schrift zeigt sich aber auch vorzüglich, wie bestimmend der ideologische Bezugsrahmen für die Ideenassoziation ist. Denn gerade hier ergibt sich ein verborgenes Kompositionsprinzip durch den mehr oder weniger verborgenen Bezug auf die Emanzipationsprobleme; erst durch diesen Bezug assoziieren sich die einzelnen Prospekte als subjektiv relevante und objektiv bedeutende. Ein Sachregister dieser Schrift würde den Eindruck völliger Kontingenz, Beliebigkeit, Unvermitteltheit erwecken und ließe höchstens nach der rhetorischen "Kunst des Übergangs" vom katholischen Mittelalter zum Saisonbetrieb auf Norderney, von Deutschland als Fürstengestüt Europas zu Scotts Romanen fragen. Die Lektüre jedoch führt zwingend auf den Zusammenhang von thematischem Horizont und kunstvoller Struktur.[46] Denn

---

[46] Vgl. Ernst Feise, Heine's Essay "Die Nordsee". In: *Xenion. Themes, Forms, and Ideas in German Literature*. Baltimore 1950. S. 90-104. Diese Studie demonstriert überzeugend, daß ein einziges Thema auf wechselnden Ebenen zur Sprache kommt, das zugleich in der Struktur als solcher seinen Ausdruck findet und so den 'Essay' zu einem "work of poetic selfexpression" macht. Feise sieht in der "Zerrissenheit" als einem Bewußtseins- und Gesellschaftszustand dieses eigentliche Thema, indessen zeigt seine profunde Interpretation des Sinnes, den Heine diesem Schlagwort der Zeit gibt, das Wechselverhältnis von Zerrissenheit und Emanzipation so deutlich, daß seine Auffassung der hier angedeuteten kaum im Wege steht. — Übrigens ist bemerkenswert, wie wenig Schwierigkeiten Angelsachsen im Vergleich mit deutschen Heineforschern darin finden, Heines Prosa trotz ihrer Einsicht in all das, was dagegen sprechen könnte, als poetisch oder kreativ aufzufassen. Sicher

das Artistische von Struktur und Schreibart ist nichts Sekundäres, Zusätzliches; von ihm hängt ab, was wir anstatt einer abgeschlossenen, höchstens transparenten "Werkwelt", einer "unabhängigen zweiten Welt" des ästhetischen Scheins dargestellt finden: die Dialektik von politischer Weltorientierung und konkreten Wirklichkeitsbezügen, die Beziehung zwischen individueller Existenz und überindividuellen Zusammenhängen, Prozessen, Bewegungen, Konflikten. Und was wir so dargestellt finden, daß die individuelle Existenz ebenso wie die Wirklichkeit, die ihr zu schaffen macht, als faktische, historisch-empirische ausgewiesen sind; beide Pole sind weder in einem Systematisierungszusammenhang noch in einer "eigenen Welt" dichterischer Fiktion 'aufgehoben'. In 'Ludwig Börne' (5) charakterisiert Heine die Auswirkung der Französischen Revolution auf die "Schriftwelt":

Der einsamste Autor, der in irgendeinem abgelegenen Winkelchen Deutschlands lebte, nahm teil an dieser Bewegung; fast sympathetisch, ohne von den politischen Vorgängen genau unterrichtet zu sein, fühlte er ihre soziale Bedeutung und sprach sie aus in seinen Schriften. Dieses Phänomen mahnt mich an die großen Seemuscheln, welche wir zuweilen als Zierrat auf unsere Kamine stellen, und die, wenn sie auch noch so weit vom Meere entfernt sind, dennoch plötzlich zu rauschen beginnen, sobald dort die Flutzeit eintritt und die Wellen gegen die Küste heranbrechen (7, 126).

Bei Heine selbst indessen handelt es sich um mehr als eine solche fast sympathetische Betroffenheit. Für ihn sind die historisch-politisch-sozialen Verhältnisse sogar nicht nur eine ausgezeichnete Wirklichkeit, sondern geradezu die Wirklichkeit als der Raum, in dem ihn etwas als Wirkliches betrifft und beansprucht.

Am selben Ort und im selben Zusammenhang rechtfertigt Heine aber auch den andern hervorstechenden Zug seiner Schreibart, wenn er erklärt: "dieses beständige Konstatieren meiner Persönlichkeit (ist) das geeignetste Mittel, ein Selbsturteil des Lesers zu fördern" (7, 132). Seit eh und je hat man das als extremen Subjektivismus abgestempelt. Damit ist aber über Funktion und Be-

hat das einen Grund auch oder gar vor allem darin, daß sie nicht so sehr im Bann der von Kant, Schiller, Hegel artikulierten "Idee der Kunst" stehen und deshalb gegenüber Heine kaum in der ästhetischen Theorie der "Kunstperiode" befangen sind.

deutung dieses Zuges zu wenig gesagt. Zureichend ist er erst dann erfaßt, wenn wir einsehen, daß es sich beim ständigen Konstatieren, Hervorkehren, Dokumentieren der eigenen Persönlichkeit um etwas tief mit der ideologischen Erfahrungsstruktur Verbundenes handelt, nämlich um die Selbstrelativierung des Denkens, Fühlens, Wollens und Wertens.[47] Das Konstatieren der eigenen Persönlichkeit ist wesentlich, wenn zum Vorschein kommen soll, daß die eigenen Ideen und Interessen, die eigene geistig-seelische Verfassung Emanation des "Zeitgeistes", Ausdruck der aktuellen geistigen und gesellschaftlichen Potenzen, Faktoren und Prozesse sind. Richtig bemerkt G. Lukács, Heine stelle das "widerspruchsvolle Zusammenwirken der Wiederspiegelung der Wirklichkeit im Kopfe des Dichters" dar. Aber dieser Sachverhalt darf nicht als Notlösung anbetrachts der anders nicht darstellbaren anachronistischen deutschen Verhältnisse interpretiert werden (vgl. Anm. 20). Dargestellt ist auf diese Art vielmehr, wie der Autor sein "eigenes Dichten und Trachten" als Signatur begreift, so daß er uns auch die eigenen Wirklichkeitsbezüge und Wirklichkeitsspiegelungen als ein Feld von Vermittlungsrelationen vergegenwärtigt. Oft genug werden wir auf diese Selbstrelativierung, diese Funktionsbestimmung der eigenen Mentalität ausdrücklich aufmerksam gemacht, z. B. überall dort, wo der Autor auf die Zwiespältigkeit und Zerrissenheit der eigenen Existenz zu sprechen kommt, wie in 'Ludwig Börne' (5): "Ob wir einst auferstehen? Sonderbar! meine Tagesgedanken verneinen diese Frage, und aus reinem Widerspruchsgeist wird sie von meinem Nachtträumen bejaht" (7, 130) (vgl. Heines Brief vom 30. 10. 1836 an die Prinzessin Belgiojoso). Die markanteste der zahlreichen diesbezüglichen Aussagen ist aber gewiß der folgende Passus aus Kap. 4 der 'Bäder von Lucca':

Lieber Leser, gehörst du vielleicht zu jenen frommen Vögeln, die da einstimmen in das Lied von Byronischer Zerrissenheit, das mir schon seit zehn Jahren in allen Weisen vorgepfiffen und vorgezwitschert worden und sogar im Schädel des Marchese, wie du oben gehört hast, sein Echo gefunden? Ach, teurer Leser, wenn du über jene Zerrissenheit klagen willst, so beklage lieber, daß die Welt selbst mitten entzweigerissen ist. Denn da das Herz des Dichters

---

[47] Über den Unterschied zwischen solcher Selbstrelativierung und einem erkenntnistheoretischen Relativismus vgl. Karl Mannheim, Das Problem einer Soziologie des Wissens ... S. 580f.

der Mittelpunkt der Welt ist, so mußte es wohl in jetziger Zeit jämmerlich zerrissen werden. Wer von seinem Herzen rühmt, es sei ganz geblieben, der gesteht nur, daß er ein prosaisches weitabgelegenes Winkelherz hat. Durch das meinige ging aber der große Weltriß, und eben deswegen weiß ich, daß die großen Götter mich vor vielen andern hoch begnadigt und des Dichtermärtyrtums würdig geachtet haben.

Einst war die Welt ganz, im Altertum und im Mittelalter, trotz der äußeren Kämpfe gab's doch noch immer eine Welteinheit, und es gab ganze Dichter. Wir wollen diese Dichter ehren und uns an ihnen erfreuen; aber jede Nachahmung ihrer Ganzheit ist eine Lüge, eine Lüge, die jedes gesunde Auge durchschaut, und die dem Hohne dann nicht entgeht (3, 304).

Daß hier die eigene, historisch determinierte Mentalität und mit ihr das eigene Dichten und Trachten als Signatur begriffen wird, daß es einem umfassenderen Faktor zugeordnet ist, liegt auf der Hand. Genau so klar müßte auch sein, daß der *große Weltriß*, der durch das Herz des Dichters geht, nicht metaphysisch oder ontologisch gemeint ist,[48] sondern als Ergebnis interdependenter geschichtlicher, gesellschaftlicher und ideologischer Prozesse. In der Reflexion auf den Signaturcharakter der eigenen Existenz und des eigenen Schaffens sind also geschichtliche Ortsbestimmung und Selbstrelativierung komplementäre Momente; das ist sogar noch deutlicher in 'Die Nordsee' nach einigen Gedanken über die Bedeutung der katholischen Kirche für die geistige Welt des Mittelalters ausgesprochen:

— Es ist doch wirklich belächelnswert, während ich im Begriff bin, mich so recht wohlwollend über die Absichten der römischen Kirche zu verbreiten, erfaßt mich plötzlich der angewöhnte protestantische Eifer, der ihr immer das Schlimmste zumutet; und eben dieser Meinungszwiespalt in mir selbst gibt mir wieder ein Bild von der Zerrissenheit der Denkweise unserer Zeit (3, 93).[49]

---

[48] Über die wahrscheinliche Beziehung von Heines Begriff der Zerrissenheit zu Hegels Phänomenologie des Geistes vgl. Ernst Feise, Heines Essay "Die Nordsee" ... S. 103f.

[49] Der folgende Abschnitt ist ein Paradebeispiel für alles, was über den ideologischen Bezugsrahmen als Gewähr von Vermittlungsrelationen ausgeführt wurde: "Auf einem gewissen Standpunkt ist alles gleich groß und gleich klein, und an die großen europäischen Zeitverwandlungen werde ich erinnert, indem ich den kleinen Zustand unserer armen Insulaner betrachte" (3, 93).

Aber das Konstatieren der eigenen Persönlichkeit geschieht nicht nur auf so ausdrückliche Weise. Viel öfter sogar findet es in indirekter Form statt, präsentiert sich der Autor durch seine Erlebnis- und Reflexionsmuster oder durch die Intentionalität seiner Wahrnehmungen oder auch durch sein esoterisches Lesen als Bild oder Signatur der Zeit. Ein Beispiel findet sich im Kap. 13 der 'Reise von München nach Genua', wo der Reisende zum ersten Mal italienischen Boden unter den Rädern hat. Dem aufmerksamen Leser kann kaum entgehen, wie ausgerechnet an dieser Stelle ein ideologisches Koordinatensystem in die Schilderung der ersten italienischen Szenerie projiziert ist. Das zeigt sich zunächst in einem Bild, das man fast eine Bildformel des Gegensatzes von Hellenentum und Nazarenertum nennen kann:

Auf der einen Seite stand ein großes hölzernes Kruzifix, das einem jungen Weinstock als Stütze diente, so daß es fast schaurig heiter aussah, wie das Leben den Tod, die saftig grünen Reben den blutigen Leib und die gekreuzigten Arme und Beine des Heilands umrankten (3, 240).

Was dann geschildert wird, evoziert unausweichlich durch alles Einzelne mittelalterliche Sakralmalerei:

Auf der anderen Seite des Häuschens stand ein runder Taubenkofen, dessen gefiedertes Völkchen flog hin und her, und eine ganz besonders anmutige weiße Taube saß auf dem hübschen Spitzdächlein, das, wie die fromme Steinkrone einer Heiligennische, über dem Haupte der schönen Spinnerin hervorragte (3, 240).

An dieser Spinnerin werden dann aber antikische Züge hervorgehoben, so daß am Ende die über ihrem Haupte sitzende weiße Taube ambiguos wird und nicht mehr so klar an ihre symbolische Bedeutung in der christlichen Malerei erinnert, sondern an einen anderen, dem "dritten Testament" zugehörigen Heiligen Geist denken läßt. Bis dahin also ist die Schilderung als ein In-Szene-Setzen, als bildhafte Formulierung des Dualismus zu verstehen, in den dann dem Autor die italienischen Eindrücke wie in einen Fluchtpunkt zusammenlaufen. Im folgenden Abschnitt aber kommt die innere Nachwirkung des Geschilderten zur Sprache, und dabei zeigt sich, daß es sich im Grunde um ein Bild der geistesgeschichtlichen Situation handelt, von der sich der Autor bestimmt weiß und fühlt. Ein griechischer Bildhauer, so meditiert er, scheint das holde Antlitz der Spinnerin geformt zu haben:

> Die Augen freilich hätte kein Grieche erträumen und noch weniger begreifen können. Ich aber sah sie und begriff sie, diese romantischen Sterne, die so zauberhaft die antike Herrlichkeit beleuchteten. Den ganzen Tag sah ich diese Augen, und ich träumte davon in der folgenden Nacht. Da saß sie wieder und lächelte, die Tauben flatterten hin und her wie Liebesengel, auch die weiße Taube über ihrem Haupte bewegte mystisch die Flügel, hinter ihr hoben sich immer gewaltiger die behelmten Wächter, vor ihr hin jagte der Bach, immer stürmischer und wilder, die Weinreben umrankten mit ängstlicher Hast das gekreuzigte Holzbild, das sich schmerzlich regte und die leidenden Augen öffnete und aus den Wunden blutete — sie aber spann und lächelte, und an dem Faden ihres Wockens, gleich einer tanzenden Spindel, hing mein eigenes Herz (3, 240f.).

Vom Zauber einer doch erst durch die romantische Mentalität verklärten Antike ist hier die Rede, und damit erscheint der sich im Geschauten wiederfindende Autor selbst als Signatur dieser komplizierten Dialektik des Zeitgeistes: das Ausspielen des Hellenischen gegen das Nazarenische, die Feier und Verherrlichung des Dionysischen gegen die Delinquentenreligion wurzelt doch, als ein ausgeprägt romantischer Zug, in der Tradition, gegen die es ausgespielt wird. Der Autor sieht sich selbst in dem Geschauten enthalten, aber er könnte ebensogut auf Keats als den Verfasser der Ode 'On a Grecian Urn' anspielen: deshalb nämlich, weil es sich auch beim mittelbaren Konstatieren der eigenen Persönlichkeit um das Evidentmachen eines universellen bewußtseinsgeschichtlichen Zusammenhanges handelt, der zugleich den Bezugsrahmen für die folgenden Kapitel des 'Reisebildes' abgibt.

Im Zusammenhang mit der Selbstrelativierung muß schließlich noch ein letzter Aspekt beachtet werden. Wir haben gesehen, daß Heine (in der Vorrede zur französischen Ausgabe der 'Reisebilder') an erster Stelle auf Möglichkeiten der Progression und Bewegung seines Schreibens abhebt, auf " l'enchaînement, les transitions, les brusques saillies". Ich habe angedeutet, daß man diese Möglichkeiten, von einem zum andern zu kommen, letztlich nicht als ästhetisch selbstgenügsame, lediglich den Reiz bestimmter Bewegungsverläufe und Linienführungen intendierende gelten lassen kann.[50] Verkettung, Hinübergleiten und jäher Sprung müssen zusammengenommen werden mit der Mannigfaltigkeit und dem Wechsel des subjektiven Habitus und damit des sprachlichen Aggregatzustandes, also mit dem, was H. J. Weigand vor Augen hat, wenn er 'Ideen. Das Buch Le Grand' "a mere rhapsodic hodgepodge of whims, moods and reflections" oder "a weird sequence of lyrical and dramatical moods" bezeichnet.[51] Wir fassen dieses auf den ersten Blick hervorstechende Faktum aber erst dann angemessen auf, wenn wir erfassen, daß auch dieser Verhaltens-, Formen- und Sprachperspektivismus genauso wie das Konstatieren des eigenen Meinungszwiespalts, des Widerspruchs von Denken und Fühlen, von Tagesgedanken und Nachtträumen, von rationaler Betrachtung und irrationaler Befangenheit als Index gelten will. Auch die wechselreiche Sequenz von Witz, Pathos, Ironie, Stimmung, Kritik, Traum, Erinnerungstrunkenheit, Polemik, Reflexion, Sentimentalität, Distanziertheit, Schwärmerei usf. ist als Signatur gemeint und muß als solche begriffen werden, weil auch in ihr und ihren Peripetien, ihren Kontrasten und Widersprüchen, ihren Zwängen und Spielen der durch den Begriff der Zerrissenheit anvisierte Zeitgeist-Aspekt der Subjektivität zur Sprache kommt. Das Komplexe der eigenen Subjektivität, die eigenen Denk-, Gefühls- und Erlebnismuster sind als Funktion und Ausdruck eines außerhalb ihrer gesetzten Faktorenzusammenhangs vergegenwärtigt. Und so müssen auch der "extreme Subjektivismus" und seine strukturellen Korrelate der Selbstrelativierung zugeordnet werden; das vielgestaltige Konstatieren der eigenen Persönlichkeit hat seinen Grund in der Anerkennung der außerästhetischen Funktionalität der Dichtung. Nicht bloß der "Tribun", der "Tambour", der politische Publizist Heine verzichtet auf Werke, in denen man die "integrale Einheit einer Kunstwelt" finden könnte; auch der Dichter Heine entscheidet sich dafür, sein Dichten und Trachten als ein in die „erste wirkliche Welt" des Historischen, Politischen, Sozialen, Ideologischen verwickeltes und verwobenes zu manifestieren.

---

[50] Wie etwa für Wieland sowohl die seit Hogarth und Baumgarten zum ästhetischen Ideal erhobene Wellenlinie als auch die dem "Geist Capriccio" entspringende vermittelnde Abruptheit wichtige Mittel einer von der "Poesie der Sachen" weithin unabhängigen "Poesie des Stils" waren.

[51] H. J. Weigand, Heines "Buch de Grand" . . . S. 102, 131.

Was dabei herauskommt, ist freilich der Idee einer selbständigen *veritas aesthetica* (Baumgarten) nicht gemäß. Trotzdem haben Heines Prosaschriften den Charakter komplexer und hochgradig kalkulierter Sprachgebilde, deren Aussage durch das Ineinandergreifen der verschiedensten Informations- und Kommunikationsebenen zustande kommt und denen nur ein literarisches Verständnis ganz adäquat ist, das sich auf die Komplexität, auf das Vielschichtige und Beziehungsreiche einer ausgeprägten Formensprache, also einer durch ihren Kunstfaktor informierenden und kommunizierenden Textbildung einläßt. Sofern es mit Rücksicht auf ein "Kunstganzes" geschieht, mag es unangebracht sein, hier nach Dichtung zu suchen. Sofern es mit Rücksicht auf den Kunstfaktor geschieht, erscheint es angebracht, weil dann der Blick für die geschichtliche Wandlung des Dichtungsbegriffes offen bleibt.

Ich kann mit dieser Zusammenfassung abbrechen und möchte nur noch im Hinblick auf die historischen und theoretischen Implikate dieser Arbeit zwei Bemerkungen, die eigentlich den Charakter von Fragen haben, anknüpfen.

1. Ich suchte zu erhellen, wieso mit Heines Prosaschriften eine neue Schreibart auftritt, die ein eigenartiges Verhältnis von Welthaltigkeit und Subjektivität als unabdingbarem Prinzip erkennen läßt. Eine Schreibart, die auf einer weiten Skala von Textsorten durchgängig ein "imaginative writing" bleibt, die aber dennoch nicht oder nur mit brüchigen Hilfskonstruktionen als Dichtung im Sinne der "Kunstperiode" ausgewiesen werden kann, weil eine derartige Legitimation den bestimmenden und kennzeichnenden Funktionsübergang von poetischer Heuristik und ideologischer Hermeneutik verdecken müßte, angesichts dessen die übliche Scheidung von Dichtung und Publizistik, von Dichter und Schriftsteller hinfällig wird. Einen Namen für dieses "neue Genre" habe ich nicht anzubieten. Auch wage ich im Augenblick nicht zu vermuten, daß sich mit meinen Thesen eine Perspektive eröffnet auf die Tradition und Fortbildung dieses 'Genre' bis etwa zu Benjamin oder Kracauer, bis zu Texten also, die das Wort Feuilleton nur mehr verfälschend etikettieren kann.

2. Daß Begriffe wie Dichtung, poetisch, Gebildecharakter usw. Grenzwerte sind, weiß man inzwischen. Die Frage nach den Grenzphänomenen des Ästhetischen[52] beweist es. Aber wie problematisch

---

[52] Das dritte Kolloquium der Forschungsgruppe Poetik und Herme-

ist es, Grenzphänomene des Ästhetischen — und sei es zunächst nur hypothetisch und heuristisch — überhaupt zu statuieren! Aus welcher Perspektive gibt es sie, konkret und überhaupt, wenn man nicht jedes Aufsprengen der überkommenen, etablierten, geläufigen Möglichkeiten als Grenzphänomen registrieren und damit die Bewegung der Literaturgeschichte als einen durch Grenzphänomene jederzeit bestimmten Prozeß sehen will? Wie fragwürdig ist es, von Grenzphänomenen des Ästhetischen zu sprechen, wenn man Ästhetik weder als Verlängerung einer normativen Poetik noch als Apologie dessen, was eben als Dichtung auftritt, aufzufassen bereit ist. Nicht das Problem, wie sich die Grenzphänomene zur Ästhetik verhalten, wie sie deren Horizont erweitern, Rechtfertigung erzwingen, die Artikulation neuer Begriffe von Dichtung forcieren, wie sich also, zynisch gesagt, die Ästhetik immer nach der Decke strecken muß — nicht dies scheint mir das bedrängende Problem zu sein, sondern das andere, inwiefern man überhaupt von Grenzphänomenen des Ästhetischen sprechen kann dort, wo sich

neutik im September 1966 stand unter der Leitfrage nach den "Grenzphänomenen des Ästhetischen". In einem Spektrum von Ansätzen ging es um die Erörterung solcher Kunstphänomene, die aus dem Kanon des Schönen ausgeschlossen, an den Rand verwiesen oder antithetisch ausgeglichen wurden. In diesem Zusammenhang wird Heine hervorstechend signifikant für den mit dem Schlagwort "die nicht mehr schönen Künste" bezeichneten Sachverhalt, daß gegenüber der modernen Literatur und Kunst die aus der Ästhetik, als auf "das klassische Kunstphänomen" gegründeter Philosophie (Emil Utitz), abgeleiteten Kategorien nicht mehr ausreichen, um Beschaffenheit, Absicht und Aufnahme der literarischen und künstlerischen Produktion zu erfassen und zu begreifen. Ich habe am Beispiel Heine zu demonstrieren versucht, wie man literarische Texte als *poiesis* auffassen kann, ohne Halt an einer in der Ästhetik ausgesprochenen Kunstidee zu haben, und dieser sozusagen rückhaltlose Versuch, den Kunstfaktor und seine Relevanz zu erörtern, brachte mich zur Frage, ob nicht die Formel "Grenzphänomene des Ästhetischen" eine letzlich unangemessene Einstellung mit sich bringe. Denn bereits an Heine wird evident, was Joachim Ritter am Ende seines Artikels "Ästhetik" sagt: "Ästhetik, wenn das Wort nicht als bloßer, gegen die Inhalte und die Begründung der Theorie indifferenter Name genommen wird, hat Kunst und die Wirklichkeit der Zusammenhänge, in denen sie steht, außer sich. Diese verlangen nach nicht-ästhetischer Begründung." (*Historisches Wörterbuch der Philosophie.* Hrsg. von Joachim Ritter. Basel-Stuttgart 1971ff. Bd. 1, Sp. 578.)

der Anspruch erschüttert oder gar hinfällig erweist, auf dem die
Ästhetik — als philosophische und wissenschaftliche Theorie des
Schönen und der Kunst — mitsamt ihrem Selbstverständnis als ge
schichtliches Phänomen beruht: der Anspruch, Dichtung sei als
solche dadurch ausgewiesen, daß sie etwas darstellend aussagt, was
nur als und durch Dichtung ausgesagt werden kann. Die Geschicht
lichkeit der Ästhetik und ihrer Kompetenz, das ist für mich am
Ende die beklemmende Frage, und mit ihr verbunden die andere
wieweit der Philosoph und der Literaturwissenschaftler in Betrach
ziehen müßten, was schon vor einem halben Jahrhundert K. Mann
heim zu bedenken gab, daß nämlich unter dem Deckmantel des
einheitlichen, scheinbar identischen dogmatischen Gegenstandes
grundverschiedene logische Objekte verborgen sein können.[53] Wie
können sich dennoch philosophische Ästhetik und literaturwissen
schaftlicher Pragmatismus über das Objekt Dichtung verständigen
ohne auf fatale Weise ihre Position zu vertauschen?

---

[53] Karl Mannheim, (Rez.) Georg Lukács, Die Theorie des Romans.
In: *Logos 9* (1920-21). S. 298f.

Es ist sicher nicht abwegig zu sagen, daß die Literaturwissenschaft
im wesentlichen Textwissenschaft ist. Der literaturwissenschaftliche
Gegenstandsbereich besteht in erster Linie aus bestimmten sprachlichen Verwirklichungen, die aus einer bestimmten Absicht entstanden sind und die als bestimmte Texte vorliegen. Sodann darf wohl
behauptet werden, ein solcher bestimmter Text sei in erster Hinsicht ein Informationsträger, verfaßt und geschrieben, daß ihn jemand als Information versteht. Und also dürfte plausibel sein, daß
Interpretation vor allem eine möglichst gründliche und umfassende Informationsverwertung ist; interpretieren heißt doch zunächst,
die in einem Text angelegten und versammelten Informationen so
vollständig (und d. h. unter Berücksichtigung aller erheblichen Umstände, Verhältnisse, Kontexte) wie möglich zu erfassen bzw. auszusprechen.

Ein besonderes Interesse nimmt nun die Literaturwissenschaft
an den sogenannten literarischen Texten, d. h. an Texten, die durch
ihre textformale Besonderheit insofern interessant sind, als ihr
Gehalt auf ausgezeichnete Weise an die Vermittlung durch eine
spezifische Formgebung gebunden ist und als sich ein Zuwachs an
Intentionalität aus dieser spezifischen Formgebung ergibt. Die Interpretation solcher Texte ist eine Interpretation auf höherer Stufe,
weil sie es mit Texten zu tun hat, die man komplexe Informationsträger nennen kann: mit Texten, in denen mehr und anderes mitgeteilt und ausgedrückt wird, als ausdrücklich in Wörtern und
Sätzen genannt ist. Komplexe Informationsträger sind Texte, in
denen die Verwendung der Sprache, der Aufbau, die Komposition,
die Verknüpfung der Informationen selbst Bedeutung haben; Texte, in denen sich die Besonderheiten der Form, der Struktur, der
Schreibart mit den Besonderheiten der Mitteilung oder Aussage
verschränken; Texte, die man also in ihrer 'Literarizität', in ihrer
formalen Verfassung beachten und werten muß, weil diese forma-
le Verfassung als solche zu einem Moment der Information und
Kommunikation wird.

Es gilt demnach nicht nur für das Gedicht, sondern, mit Grad unterschieden, für einen viel weiteren Kreis literarisch interessanter Texte, was Robert Penn Warren 1957 in seiner Dankrede bei der Verleihung des National Book Award for Poetry zu bedenken gab:

> We may say that a poem is a structure of meanings. Words have meanings. Events have meanings. Images have meanings. Ideas have meanings. Even rhyme and meter, in a somewhat different sense may be said to have meanings. All these things may enter into the structure we call the poem.
> But (...) the poem is not only a structure *of* meanings. It is a structure *with* meaning — a new meaning not to be equated with any or all the meanings that went into the structure (...) So we have the *structure of meanings* and the *meaning of structure*.[1]

Anders formuliert: in einem wesentlich literarischen Text kann alles durch die Sprache Bedeutete (Personen, Handlungen, Meinungen, Vorgänge, Umstände, Dinge) ebenso wie die Komposition und wie die Sprachverwendung als solche zu einem Bedeutenden werden, dessen Bedeutung dann der Sinn des Textes ist.

Diese vielleicht allzu geläufigen und daher überflüssigen Bemerkungen wurden vorausgeschickt, um die Hinsicht zu bestimmen, in welcher hier von Heines Berichten aus Paris die Rede sein soll. Der in der Textverfassung, in der Formgebung, in der Schreibart, in der Komplexität der Sprachverwendung liegende Sinn soll ins Auge gefaßt werden. Es soll eine spezifisch literaturwissenschaftliche Betrachtung versucht werden, wie sie Hans Mayer in seinem Aufsatz 'Die Ausnahme Heine' verlangt hat: "Heines Prosa sollte einmal in ihrer ganz einzigartigen, wenn auch für Epigonen nicht ganz gefahrlosen Struktur untersucht werden. Man schaute immer allzu stark und starr auf das Inhaltliche (...) statt nach den Mitteln zu fragen, die solche Wirkung zu erzeugen vermochten."[2]

[1] Zit. nach: Elizabeth M. Wilkinson, 'Form' and 'Content' in the Aesthetics of German Classicism. In: *Stil- und Formprobleme in der Literatur.* Hrsg. von Paul Böckmann. Heidelberg 1959. S. 27.
[2] Hans Mayer, Die Ausnahme Heine. In: *Heinrich Heine, Werke.* Hrsg. von Christoph Siegrist, Wolfgang Preisendanz, Eberhard Galley, Helmut Schanze mit einer Einleitung von Hans Mayer. 1. Bd. Frankfurt am Main 1969 (Insel-Heine). S. 19.

Eine solche Betrachtungsweise wird von der Annahme ausgehen, daß diese Prosa auch in Gestalt von Berichten aus der Hauptstadt Frankreichs einen literarischen *Mehrwert* enthält, daß die Schreibart als solche einen informativen und kommunikativen Effekt hat, daß die textformale Qualität dieser Tagesberichte eine sinngebende Funktion erfüllt.

Dieser Gesichtspunkt ist bisher so gut wie außer Betracht geblieben, höchstens oberflächlich und beiläufig ins Auge gefaßt worden. Die — gewiß berechtigte — Etikettierung als Publizistik oder Journalistik hat hier wie in anderen Fällen die Entwicklung einer spezifisch literaturwissenschaftlichen Analyse und Interpretation verhindert. Man hat diese Berichte zu ausschließlich als *structure of meanings* oder als Dokument politischer Einsicht und Urteilskraft gelesen. Was über die literarische Qualität und Bedeutung gesagt worden ist, geht über flüchtige und ganz allgemeine Hinweise auf die unverwechselbare Note, auf die Treffsicherheit des Ausdrucks, auf die Kunst des Andeutens und Anspielens, auf Charme und Witz kaum hinaus — Hinweise, die man natürlich auf zahlreiche andere Autoren und Texte mit demselben Recht beziehen kann.

Auch in dem kürzlich erschienenen Heine-Buch von Manfred Windfuhr geht nur der letzte Abschnitt des Kapitels über 'Lutezia' spärlich auf das eigentlich Literarische ein: Heine beachte alle wichtigen Aspekte des vielseitigen Gesamtphänomens Paris; Kollektives und Individuelles, Oberschicht und soziale Bewegung, Politik und Kunst seien gleichermaßen vertreten — dies ist für Windfuhr einer der realistischen Züge, welche er für Heines Berichte statuiert. Dann heißt es:

> Die einzelnen Themenkreise werden immer wieder aufgegriffen und kunstvoll miteinander verbunden (...) Heine bemüht sich wie die gleichzeitigen Romanschriftsteller um synthetische Gesamtbilder. Freilich ist 'Lutezia' kein Roman mit durchgehenden Figuren und zentraler Handlungsführung. Es ist ein Zeit- und Geschichtsbild aus einer Folge von Einzelartikeln. Die Totalität, für die Realisten ein Hauptziel, wird im Nacheinander aufgebaut. Aber sie ist schließlich vorhanden.[3]

---

[3] Manfred Windfuhr, *Heinrich Heine. Revolution und Reflexion.* Stuttgart 1969. S. 271.

Dagegen läßt sich kaum etwas sagen; es liegt ja auf der Hand. Aber man gewahrt doch die Verlegenheit oder das Desinteresse, etwas über die text-spezifischen Züge und über die Signifikanz der Schreibart zu sagen — eine Bemerkung übrigens, die man bei diesem Buch immer wieder machen muß, wenn der Verfasser die verschiedenartigen Heine-Texte nicht irgendwie den überlieferten Gattungen und Formen der Literatur zuordnen kann.

Dabei hat Heine selbst, in dem Zueignungsbrief an den Fürsten Pückler-Muskau, den er der Buchausgabe 'Lutezia' von 1854 als Einleitung voranstellte, mit Betonung auf die Literarizität und sogar den Kunstfaktor seiner Berichte aus den Jahren 1840 bis 1843 für die Augsburger Allgemeine Zeitung abgehoben, und zwar in dreifacher Beziehung:

Heine erwähnt erstens, daß er angesichts der Verstümmelung der ursprünglichen Berichte durch die Zensur versucht habe, in der Buchausgabe "die artistische Ehre, die schöne Form" (6, 132)[4] zu retten; entsprechend erwähnt auch die Vorrede zur französischen Buchausgabe 'Lutèce' von 1855 das Bestreben, noch bei Lebzeiten "du moins la bonne représentation de mon style" (6, 568) zu wahren. Heine nimmt zweitens für sich in Anspruch, durch eine "künstlerische Zusammenstellung aller dieser Monographien [d. h. der Tagesberichte, W. P.] ein Ganzes" zu liefern, "welches das getreue Gemälde einer Periode bildet, die ebenso wichtig wie interessant war" (6, 132f.). Und deshalb nennt Heine 'Lutezia' drittens "zugleich ein Produkt der Natur und der Kunst": ein Produkt der Natur, sofern es "ein daguerrotypisches Geschichtsbuch" sei, "worin jeder Tag sich selber abkonterfeite", ein Produkt der Kunst, sofern es sich um eine vom ordnenden Geist des Künstlers geleitete Zusammenstellung solcher Bilder handle (6, 135f.).

Ähnliche Hinweise finden sich schon in den während der Arbeit an der Buchausgabe an den Verleger Julius Campe gerichteten Briefen. So verspricht Heine im Bewußtsein seines einsamen Ranges "in der Prosa" am 12. August 1852 "ein Musterbuch (...), das ganz abgesehen von seinem interessanten und will's Gott auch pikanten Inhalt, seinen stehenden Wert behalten wird"; so zeigt

---

[4] Heines Werke werden zitiert nach: Heinrich Heine, *Sämtliche Werke*. Hrsg. von Ernst Elster. Leipzig und Wien o.J. (1887-90). Die Ziffer vor dem Komma zeigt den Band, die hinter dem Komma die Seite an.

er sich am 7. März 1854 überzeugt, das Buch werde "eine Chresto-mathie der Prosa, und der Bildung des Stils für populare Themata sehr förderlich sein"; am 14. April 1854 und am 2. Mai 1854 spricht er nochmals von seinem Bemühen, das Werk "artistisch vollendet", als "eine geschlossene Einheit", als "eine künstlerische Einheit" erscheinen zu lassen.

Zugestanden: das alles ist im Zusammenhang mit der Buch-ausgabe gesagt, ein Jahrzehnt nach dem Abfassen der eigentlichen Tagesberichte. Dennoch darf man das meiste, was Heine in Brie-fen bzw. in den Vorreden über die literarisch-artistischen Aspekte von 'Lutezia' äußert, auf die ursprüngliche Gestalt und Folge die-ser Berichte beziehen. Denn obgleich es sich in Heines Mitteilun-gen anders ausnimmt: trotz allen Neuformulierungen, Zusätzen und Streichungen behalten die Berichte in der Buchausgabe ihre stilistische, strukturelle und kompositorische Identität; für die Un-tersuchung der Schreibart ist das Faktum der keineswegs radikalen Umarbeitung unerheblich.

Freilich können die Hinweise des Autors diese Untersuchung nur sehr vag und bedingt vororientieren. Von Produkten der Kunst ist ausdrücklich nur mit Bezug auf das Kompositorische die Rede; von einem Kunstfaktor des Berichtstils sagt Heine nichts, es sei denn, er habe ihn im Sinn, wenn er auf die "artistische Ehre" und "schöne Form" pocht. Auch scheint er beim Hinweis auf die Zu-sammenstellung durch die ordnende Hand des Künstlers eher an die Aufeinanderfolge der Berichte, an deren anaphorische und kata-phorische Beziehungen zu denken, weniger an die Komposition und Segmentierung der einzelnen Artikel. Aber gerade innerhalb der Berichte finden wir keineswegs einen planen, linearen Infor-mationsaufbau, sondern ein recht kunstvolles *patterning* des Mit-geteilten durch signifikante Sequenzbildung, Schnitt-Technik, Ver-knüpfung. Ferner wird man nur cum grano salis gelten lassen, daß Heine seine Berichte, im Bann der damals noch frischen und sensationellen Erfindung, Daguerrotypen nennt. Diese Metapher könnte wesentliche Züge verdunkeln: einmal das stete Ineinander-spielen von Nachricht und Kommentar, Meldung und Reflexion, Analyse und Orientierung, Kenntnis und Vermutung, Rückblick und Prognose; sodann den Ausdruck der eigenen Anteilnahme durch das Hervorkehren von Gewißheit und Zweifel, Erwartung und Enttäuschung, Befürchtung und Zuversicht, auch durch das unablässige gespannte Fragen, wodurch er sich immer wieder auf gleichen Fuß mit seinem fernen Leser stellt.

Wirkung solchen Hervorkehrens vermittelnder Subjektivität ist, daß der Leser das Berichtete nicht als unantastbaren, perfekten absolut verbürgten Befund geboten bekommt, sondern daß ihm die Problematik und Kompliziertheit der Aufklärung und Meinungsbildung, der Beobachtung und Orientierung, der Analyse und Bewertung mitgeteilt wird. Nicht mit unpersönlicher, gleichsam urheberloser Unterrichtung, in der jede erkennbare Beziehung zwischen Geltung und Genesis getilgt ist, hat es der Leser zu tun, sondern mit dem Diskurs eines konkreten, qualifizierbaren Informanten. Auch für diese Berichte muß Heines Zwischenbemerkung aus 'Ludwig Börne' in Anschlag gebracht werden: "dieses beständige Konstatieren meiner Persönlichkeit (ist) das geeignetste Mittel ein Selbsturteil des Lesers zu befördern" (7, 132). Also ist es keineswegs paradox, die manifeste Subjektivität als Garantie vor Objektivität zu bewerten, sofern dem Leser die Abhängigkeit des Vermittelten von einer "auktorialen" Instanz und deren Standort Perspektive, Interessen nicht unterschlagen wird.

Vor allem aber will zu der Metapher *Daguerrotyp* schlecht passen, daß es dem Autor in diesen Tagesmonographien zuerst und zuletzt darauf anzukommen scheint, die politische und soziale Situation der Metropole in ihrer Bewegung zu zeigen, als etwas durchaus Transitorisches. Man pflegt vom Stand der Dinge, von der Lage der Dinge zu sprechen; gerade eine diesen Redensarten verhaftete Vorstellung desavouiert Heine, indem das je Gegebene in seiner Beweglichkeit und Labilität vergegenwärtigt, auf der Folie des Wandels, als Moment von Prozessen. Beispiel mag der relativ kurze 2. Artikel als ganzer sein, mit welchem die Reihe der Berichte in der Augsburger Allgemeinen Zeitung einsetzte; man braucht nur auf die Tempora, temporalen Adverbien, Zeitrelationen zu achten, um auf die Betonung des Labilen, Wandelbaren, Transitorischen zu kommen:

Paris, den 1. März 1840

Thiers steht heute im vollen Licht seines Tages. Ich sage heute, ich verbürge mich nicht für morgen. — Daß Thiers jetzt Minister ist, alleiniger, wahrhaftiger Gewaltminister, unterliegt keinem Zweifel, obgleich viele Personen, mehr aus Schelmerei denn aus Überzeugung, daran nicht glauben wollen, ehe sie die Ordonnanzen unterzeichnet sähen, schwarz auf weiß im "Moniteur". Sie sagen, bei der zögernden Weise des Fabius Cunctator des Königtums sei alles möglich; vorigen Mai habe sich der Handel zerschlagen, als Thiers bereits zur Unterzeichnung die Feder in die Hand genommen. Aber diesmal, bin ich überzeugt, ist Thiers Minister — "schwören will ich darauf, aber nicht wetten", sagte einst Fox bei einer ähnlichen Gelegenheit. Ich bin nun neugierig, in wieviel Zeit seine Popularität wieder demoliert sein wird. Die Republikaner sehen jetzt in ihm ein neues Bollwerk des Königtums, und sie werden ihn gewiß nicht schonen. Großmut ist nicht ihre Art, und die republikanische Tugend verschmäht nicht die Allianz mit der Lüge. Morgen schon werden die alten Verleumdungen aus den modrigen Schlupfwinkeln ihre Schlangenköpfchen hervorrecken und freundlich züngeln. Die armen Kollegen werden ebenfalls stark herhalten. "Ein Karnevalsministerium", rief man schon gestern abend, als der Name des Ministers des Unterrichts genannt wurde. Das Wort hat dennoch eine gewisse Wahrheit. Ohne die Besorgnis vor den drei Karnevalstagen hätte man sich mit der Bildung des Ministeriums vielleicht nicht so sehr geeilt. Aber heute ist schon Faschingssonntag, in diesem Augenblick wälzt sich bereits der Zug des *boeuf gras* durch die Straßen von Paris, und morgen und übermorgen sind die gefährlichsten Tage für die öffentliche Ruhe. Das Volk überläßt sich dann einer wahnsinnigen, fast verzweiflungsvollen Lust, alle Torheit ist grauenhaft entzügelt, und der Freiheitsrausch trinkt dann leicht Brüderschaft mit der Trunkenheit des gewöhnlichen Weins. — Mummerei gegen Mummerei, und das neue Ministerium ist vielleicht eine Maske des Königs für den Karneval. (6, 143f.)

Wohl jeder Artikel zeigt in Varianten, wie absichtlich Heine verfährt, um das Gegenwärtige zum Transitorischen zu relativieren, es unter dem Gesichtspunkt der Interferenz von bereits Vergangenem und schon Anhebendem zu erfassen. Und zwar nicht nur, sofern der Berichtstoff als Transitorisches erscheint; darüber hinaus gibt sich der Bericht selbst als vorbehaltlich, als eingedenk, von den weiteren Entwicklungen desavouiert oder relativiert zu werden. Unverkennbar nimmt die Berichterstattung die Äußerung ihrer situativen Begrenztheit, ihrer Einstweiligkeit, ihrer möglichen Hinfälligkeit in ihre eigene Dimension auf.

Man denke bei diesen Bemerkungen an die typischen Anfangssätze wie "Wird sich Guizot halten?" (6, 284) oder "Hier überstürzen sich die Hiobsposten;" (6, 202) oder "Die kostbare Zeit wird leichtsinnig verzettelt." (6, 368); man denke an die vielen Artikelschlüsse, welche durch die verschiedensten Kunstgriffe die Offenheit der Situation suggerieren; man denke an die Kunst, Berichtsequenzen in Pointen auslaufen zu lassen, welche die Relativität des Augenblicklichen bewußt machen, wie z. B. im 4. Artikel vom 30. April 1840:

> Wie die Republikaner sind auch die Legitimisten beschäftigt, die jetzige Friedenszeit zur Aussaat zu benützen, und besonders in den stillen Boden der Provinz streuen sie den Samen, woraus ihr Heil erblühen soll. Das meiste erwarten sie von der Propaganda, die durch Erziehungsanstalten und Bearbeitung des Landvolks die Autorität der Kirche wiederherzustellen trachtet. Mit dem Glauben der Väter sollen auch die Rechte der Väter wieder zu Ansehen kommen. Man sieht daher Frauen von der adeligsten Geburt, die, gleichsam als *Ladies patronesses* der Religion, ihre devoten Gesinnungen zur Schau tragen, überall Seelen für den Himmel anwerben und durch ihr elegantes Beispiel die ganze vornehme Welt in die Kirchen locken. Auch waren die Kirchen nie voller als letzte Ostern. Besonders nach Saint-Roch und Notre-Dame-de-Lorette drängte sich die geputzte Andacht; hier glänzten die schwärmerisch schönsten Toiletten, hier reichte der fromme Dandy das Weihwasser mit Glaceehandschuhen, hier beteten die Grazien. Wird dieses lange währen? Wird diese Religiosität, wenn sie die Vogue der Mode gewinnt, nicht auch dem schnellen Wechsel der Mode unterworfen sein? Ist diese Röte ein Zeichen der Gesundheit? ... "Der liebe Gott hat heute viele Besuche", sagte ich vorigen Sonntag zu einem Freunde, als ich den Zudrang nach den Kirchen bemerkte. "Es sind Abschiedsvisiten" — erwiderte der Ungläubige. (6, 152)

Sehr effektvoll zeigt sich die Methode, das Offene der Situation und zugleich die Relativität des Berichts auszudrücken, wo Heine mit kürzeren oder längeren Intervallen die Überführung der sterblichen Reste Napoleons in den Invalidendom derart zum Repoussoir seiner Situationsschilderung macht, daß dieses näherrückende Ereignis die jeweilige Szene wie ein drohender Schatten verunsichert, weil es Katalysator unabsehbarer Bewegungen sein könnte.

Die erste Erwähnung erfolgt am 14. Mai 1840; Heine betont die unerwartete, das Nationalgefühl bis in seine abgründigsten Tiefen aufregende Wirkung des Überführungsbeschlusses, mit welchem Thiers doch nur die nationale Eitelkeit habe kitzeln wollen. Im nächsten Artikel vom 20. Mai 1840 kommt, nach einigen Bemerkungen über eine meisterhafte Kammerrede Thiers', der zweite Abschnitt auf die polarisierenden Wirkungen, der dritte Abschnitt

auf die vielleicht doch weniger harmlosen Motive des Ministerpräsidenten zurück:

> Wichtiger aber für die Interessen Europas als die kommerziellen,
> finanziellen und Kolonialgegenstände, die in der Kammer zur Spra-
> che kamen, ist die feierliche Rückkehr der irdischen Reste Napoleons.
> Diese Angelegenheit beschäftigt hier noch immer alle Geister, die
> höchsten wie die niedrigsten. Während unten im Volke alles jubelt,
> jauchzt, glüht und aufflammt, grübelt man oben in den kälteren Re-
> gionen der Gesellschaft über die Gefahren, die jetzt von Sankt He-
> lena aus täglich näher ziehen und Paris mit einer bedenklichen To-
> tenfeier bedrohen. Ja, könnte man schon den nächsten Morgen die
> Asche des Kaisers unter die Kuppel des Invalidenpalastes beisetzen,
> so dürfte man dem jetzigen Ministerium Kraft genug zutrauen, bei
> diesem Leichenbegräbnisse jeden ungefügen Ausbruch der Leiden-
> schaften zu verhüten. Aber wird es diese Kraft noch nach sechs Mo-
> naten besitzen, zur Zeit, wenn der triumphierende Sarg in die Seine
> hineinschwimmt? In Frankreich, dem rauschenden Lande der Bewe-
> gung, können sich binnen sechs Monaten die sonderbarsten Dinge
> ereignen: Thiers ist unterdessen vielleicht wieder Privatmann ge-
> worden (was wir sehr wünschten), oder er ist unterdessen als Mini-
> ster sehr depopularisiert (was wir sehr befürchten), oder Frank-
> reich ward unterdessen in einen Krieg verwickelt — und alsdann
> könnten aus der Asche Napoleons einige Funken hervorsprühen,
> ganz in der Nähe des Stuhls, der mit rotem Zunder bedeckt ist!
> Schuf Herr Thiers jene Gefahr, um sich unentbehrlich zu machen,
> da man ihm auch die Kunst zutraut, alle selbstgeschaffenen Gefah-
> ren glücklich zu überwinden, oder sucht er im Bonapartismus eine
> glänzende Zuflucht für den Fall, daß er einmal mit dem Orleanis-
> mus ganz brechen müßte? (6, 171)

"Toujours lui! Napoleon und wieder Napoleon!" lautet der Anfang des Berichts vom 30. Mai 1840 (6, 177), in welchem dann die
sich durch dieses unaufhörliche Tagesgespräch andauernd zuspit-
zende Konfliktsituation das Thema ist. Der Schluß des Artikels
vom 3. Juli 1840 berichtet:

> Von Napoleon ist in diesem Augenblick keine Rede mehr; hier
> denkt niemand mehr an seine Asche, und das eben ist sehr bedenk-
> lich. Denn die Begeisterung, die durch das beständige Geträtsche
> am Ende in eine sehr bescheidene Wärme übergegangen war, wird
> nach fünf Monaten, wenn der kaiserliche Leichenzug anlangt, mit
> erneuten Bränden aufflammen. Werden alsdann die emporsprühen-

den Funken großen Schaden anstiften? Es hängt ganz von der Witterung ab. Vielleicht, wenn die Winterkälte früher eintritt und viel Schnee fällt, wird der Tote sehr kühl begraben. (6, 199)

Von dieser Vermutung sticht der Beginn des nächsten Berichts vom 25. Juli 1840 grell ab:

Auf den hiesigen Boulevards-Theatern wird jetzt die Geschichte Bürgers, des deutschen Poeten, tragiert; da sehen wir, wie er, die "Leonore" [sic!] dichtend, im Mondschein sitzt und singt: Hurrah! les morts vont vite — mon amour, crains-tu les morts?" Das ist wahrhaftig ein guter Refrain, und wir wollen ihn unserm heutigen Berichte voranstellen, und zwar in nächster Beziehung auf das französische Ministerium. — Aus der Ferne schreitet die Leiche des Riesen von Sankt Helena immer bedrohlicher näher, und in einigen Tagen öffnen sich auch die Gräber hier in Paris, und die unzufriedenen Gebeine der Juliushelden steigen hervor und wandern nach dem Bastillenplatz, der furchtbaren Stätte, wo die Gespenster von Anno 89 noch immer spuken ... Les morts vont vite — mon amour, crains-tu les morts? (6, 199)

Unter dem 4. November 1840 schließlich liest man:

Ich zweifle nicht, daß es dem Marschall Soult gelingen wird, die innere Ruhe zu sichern. Durch seine Kriegsrüstungen hat ihm Thiers genug Soldaten hinterlassen, die freilich ob der veränderten Bestimmung sehr mißmutig sind. Wird er auf letztere zählen können, wenn das Volk mit bewaffnetem Ungestüm den Krieg begehrt? Werden die Soldaten dem Kriegsgelüste des eigenen Herzens widerstehen können und sich lieber mit ihren Brüdern als mit den Fremden schlagen? Werden sie den Vorwurf der Feigheit ruhig anhören können? Werden sie nicht ganz den Kopf verlieren, wenn plötzlich der tote Feldherr von St. Helena anlangt? Ich wollte, der Mann läge schon ruhig unter der Kuppel des Invalidendoms, und wir hätten die Leichenfeier glücklich überstanden! — (6, 226)

Im Artikel vom 29. April 1841 spricht Heine von der "Konfusion der Gegenwart" (6, 271), und in diesem Zusammenhang charakterisiert er die Rolle des Ministerpräsidenten Guizot: "Sein eigentliches Geschäft ist die tatsächliche Erhaltung jenes Regiments der Bourgeoisie, das von den marodierenden Nachzüglern der Vergangenheit ebenso grimmig bedroht wird wie von der plünderungssüchtigen Avantgarde der Zukunft" (6, 270). In diesem Satz ist benannt, was für Heine die Gesamtsituation politisch und sozial bestimmt, was die "Konfusion der Gegenwart" bewirkt; diese Formel gibt an, welche Erfahrung und welches Bild der politisch-sozialen Wirklichkeit der Autor dem Leser auch durch Schreibart und Struktur seiner Berichte vermitteln will. Daß alles im Zeichen des Übergangs, der Schwebe, der Spannung und Gärung erscheint, als Moment einer nach- und schon wieder vorrevolutionären Geschichte: das liegt nicht nur daran, daß davon allenthalben in begrifflicher, denotativer Sprache die Rede ist, sondern der Leser erfaßt es auch als konnotativen Inhalt, als derivative Konsequenz der Schreibart, als Sinn des Stils, der Struktur, der Komposition.

Implikat dieser Betonung des Transitorischen und Bewegten ist die Darstellung des Widerstands, den die Zeiterfahrung der Zeiterkenntnis entgegensetzt. Im Artikel VI der *'Französischen Zustände'* sagt Heine einiges Bemerkenswerte über Geschichtserkenntnis und Geschichtsschreibung. "(. . .) ich will so viel als möglich parteilos das Verständnis der Gegenwart befördern und den Schlüssel der Tagesrätsel zunächst in der Vergangenheit suchen" (5, 90), schreibt er. Zur Begründung heißt es etwas weiter: "Der heutige Tag ist ein Resultat des gestrigen. Was dieser gewollt hat, müssen wir erforschen, wenn wir zu wissen wünschen, was jener will" (5, 91). Schon in diesen wenigen Worten steckt eine Wendung gegen das Verfahren des Historismus mit seinem Verzicht, die Verbindung zwischen dem Vergangenen und dem Gegenwärtigen zu reflektieren, mit seinem Grundsatz, "nur vollendete Reihen von Begebenheiten darzustellen". Im Gegensatz zu Rankes berühmter These "Ich aber behaupte: jede Epoche ist unmittelbar zu Gott, und ihr Wert beruht gar nicht auf dem, was aus ihr hervorgeht, sondern in ihrer Existenz selbst, in ihrem eigentlichen Selbst"[5] hält sich Heine an das, was Schiller in seiner Antrittsvorlesung als die vornehmste Aufgabe des Historikers bezeichnet hatte, nämlich "das Vergangene mit dem Gegenwärtigen zu verknüpfen".[6] Freilich gilt dieses für Heine nicht mehr in letzten Endes geschichtsphilosophischer Absicht, sondern als Gebot einer Zeitge-

[5] Leopold Ranke, Über die Epochen der neueren Geschichte. In: Ranke, *Geschichte und Politik. Ausgewählte Aufsätze und Meisterschriften.* Hrsg. von H. Hofmann. Stuttgart 1940. S. 141.

[6] Friedrich Schiller, *Sämtliche Werke.* Hrsg. von Gerhard Fricke und Herbert G. Göpfert. 4. Bd. München 1958. S. 764.

schichte, gar einer *Tagesgeschichte* (5, 54); darauf wollen wir später zurückkommen.

Noch erheblicher weicht von den Interessen und Prinzipien der historistischen Geschichtsschreibung das Argument ab, mit welchem Heine die Frage nach den "vergangenheitlichen Beleuchtungen" des Gegenwärtigen (5, 93) "ein doppelt nützliches Geschäft" nennt (5, 92): das Argument nämlich, daß, "indem man die Gegenwart durch die Vergangenheit zu erklären sucht, zu gleicher Zeit offenbar wird, wie diese, die Vergangenheit, erst durch jene, die Gegenwart, ihr eigentliches Verständnis findet und jeder Tag ein neues Licht auf sie wirft, wovon unsere bisherigen Handbuchschreiber keine Ahnung hatten" (5, 92). Was Heine da, 1831, empfiehlt, ist als bedachtes und anerkanntes hermeneutisches Prinzip erst Generationen später durchgesetzt worden, und noch heute kann nicht als ganz und gar selbstverständlich gelten, daß alles Erfassen und Verstehen von Geschichte durch die Geschichtlichkeit des Betrachters, durch die Vielfalt und Folge je relativer Gesichtspunkte, durch den Standpunkt der jeweiligen Gegenwart, durch die aktuellen Umstände bestimmt ist. Noch heute mag der Hinweis nicht überflüssig sein, daß die historische Bemühung, zu erkennen wie es eigentlich gewesen ist, an dieser Geschichtlichkeit und d. h. an der perspektivischen und Interessenbedingtheit des Betrachters ihre Grenze hat, daß aber auf der anderen Seite, um es im Sinn Heines anders zu formulieren, das durch die Geschichtlichkeit der jeweiligen Perspektive am Vergangenen neu Hervortretende ebenso Licht auf das Gegenwärtige wirft, wie umgekehrt dieses Vergangene sein Licht vom Gegenwärtigen empfängt.

Praktiziert hat Heine dieses Geschichtsverständnis natürlich vornehmlich in seinen mit — tatsächlich oder scheinbar — Vergangenem befaßten Schriften, von den großen Abhandlungen '*Zur Geschichte der Religion und Philosophie in Deutschland*' und '*Die romantische Schule*' bis zu den Balladen. Da erweist sich der Blick für das Verharren von Altem im Neuen, für die vergangenheitliche Beleuchtungen des Gegenwärtigen und reziprok für das im Lichte des Späteren am Früheren Hervortretende als konstitutiv. In den Pariser Berichten mit ihrer Betonung des Übergänglichen, Einstweiligen, Unabsehbaren mußte eher interessieren, was sich von Künftigem im Gegenwärtigen abzeichnen, welches Licht das Heute auf das Morgen werfen, was als augenblickliche Signatur des Kommenden gelten könnte. Zugleich aber teilt die Schreibart stets den Widerstand mit, den die unmittelbare Zeiterfahrung der Wahrnehmung deutlicher Prozesse und Entwicklungen entgegensetzt. Dem Bedürfnis, die momentanen Fakten, die "Tagesinteressen" und die "sogenannten Aktualitäten" (6, 182) auf den Hintergrund langfristiger oder globaler Bewegungen zu beziehen, hält das Bewußtsein der rationalen Unverfügbarkeit der Zukunft, hält das Eingeständnis des stets nur relativen Gesichtspunkts die Waage, gesellt sich demonstrativ die Ungewißheit, wie sich im heutigen Tag der Wille des gestrigen erweise, worauf das Jetzige hinauslaufe, als was sich das Heutige morgen herausstelle. Wohl ist einmal in 'Lutezia' von den "Veränderungsgesetzen der Zeit" (6, 321) die Rede. Aber nichts liegt dem Berichterstatter ferner, als die unmittelbare Zeiterfahrung auf solche, gar durchschaute und kalkulierbare, Veränderungsgesetze zu beziehen. Vielmehr kennzeichnet seine Schreibart, daß er bereits in 'Französische Zustände' von den "Tagesrätseln" (5, 90) spricht. Oder daß er ebendort das Identitätsproblem politischen Handelns und Verhaltens zu bedenken gibt:

> Es ist sehr leicht, die Bedeutung der öffentlichen Mummereien einzusehen. Schwerer ist es, die geheime Maskerade zu durchschauen, die hier in allen Verhältnissen zu finden ist. Dieser größere Karneval beginnt mit dem ersten Januar und endigt mit dem einunddreißigsten Dezember. Die glänzendsten Redouten desselben sieht man im Palais Bourbon, im Luxembourg und in den Tuilerien. (5, 78)

Man ist sogar oft versucht, weiter zu gehen und zu sagen, die Berichte machten vielmals das Vexierbildhafte der jeweiligen Situation bewußt. Denn wie es bei einem Vexierbild auf das Erkennen eines Gegenstands oder einer Figur ankommt, deren Umrisse gleichzeitig anderen unmittelbar zu sehenden Figuren oder Gegenständen angehören, so bleiben für Heine und bei Heine die Umrisse der historischen Prozesse und Tendenzen verschlungen in die Zeichnung der unmittelbar wahrgenommenen Erscheinungen und Vorgänge. Und sooft auch das Berichten in Prognose auslaufen mag — letztlich entwertet der Gestus des Fragens alle gewisse Erwartbarkeit.

Schon das bisher Angeführte deutet wohl auf eine noch zu wenig beachtete Literarisierung des politischen Berichts, zeigt an, daß von der ursprünglichen reinen Informationstendenz des Berichts her eine neue, ausgeprägt literarische Form entwickelt wurde. Die weithin übliche fixe Einteilung der Prosa Heines in belletristische und publizistische Schriften[7] hemmt freilich die Beobachtung, wie hier in einer durchaus praktischen, expositorischen Sachprosa Schreibart und Struktur informativen Wert, kommunikativen Sinn erhalten.

Die einzelnen konkreten Züge dieser Literarisierung politischer Information und Kommunikation können im gegebenen Rahmen nicht allesamt und nicht bis ins Detail beschrieben werden, zumal dazu eine größere Menge relativ umfangreicher Textbeispiele herangezogen werden müßte. Nur einige Hauptzüge seien herausgegriffen, die von einer nachprüfenden Textlektüre vermutlich anstandslos bestätigt werden.

Ein Unterschied dieser Berichte zu erzählenden, historiographischen oder abhandelnden Texten etwa der Philosophie oder der Wissenschaften besteht in ihrer Fülle von deiktischen Ausdrücken von Ausdrücken, in denen eine Zeige-Geste steckt. In diesem Punkt gleichen sie mündlicher Darlegung, bei der ja auch die deiktischen Ausdrücke eine große Rolle spielen, weil die Sprecher und Hörer gemeinsam umfassende Situation ein dauernd gegenwärtiges Zeigefeld abgibt. Auffallend ist nun bei Heines Berichten, daß die Anfangssätze großenteils solche, auf außerhalb des Textes liegende Gegebenheiten hinweisende oder den aktuellen Situationsbezug herstellende Ausdrücke enthalten: "Thiers steht heute im vollen Lichte seines Tages." (6, 143) Oder: "Die Engländer hier schneiden sehr besorgliche Gesichter." (6, 276) Oder: "Die eigentliche Politik lebt jetzt zurückgezogen in ihrem Hotel auf dem Boulevard des Capucins." (6, 368) Dieses deiktische Moment in den Anfangssätzen bewirkt, daß man sie nur als relative Anfangssätze lesen kann oder daß sie mindestens in einer Doppelrolle erscheinen: sie sind sowohl Textanfangssätze wie auch Textfolgesätze, sie eröffnen und setzen fort.[8] Sie eröffnen, weil sie sich faktisch an keinen vorausgehenden Text anschließen; sie setzen fort, weil der Leser den absoluten Anfangssatz hinzudenken, unterschieben muß — entweder mit Rücksicht auf frühere Berichte oder durch Rekurs auf

---

[7] Vgl. Wolfgang Preisendanz, Der Funktionsübergang von Dichtung und Publizistik, im vorliegenden Band.

[8] Vgl. Roland Harweg, Die Rundfunknachrichten. Versuch einer texttypologischen Einordnung. In: Poetica. 2. Bd., 1968, Heft 1. S. 1-14.

seinen eigenen Fond der Informiertheit. Der Anfangssatz "Es gab gestern keine Börse, ebensowenig wie vorgestern, und die Kurse hatten Muße, sich von der großen Gemütsbewegung zu erholen" (6, 208) setzt voraus, daß dem Leser die drohende Kriegsgefahr bekannt ist, auf welche sich die bloße Erwähnung der großen Gemütsbewegung bezieht, daß ihm also der verschwiegene Kontext vorschwebt, in welchen der Bericht eingebettet wird. Oder nehmen wir den ganzen ersten Abschnitt des Artikels vom 7. November 1840:

> Der König hat geweint. Er weinte öffentlich, auf dem Throne, umgeben von allen Würdenträgern des Reichs, angesichts seines ganzen Volks, dessen erwählte Vertreter ihm gegenüberstanden, und Zeugen dieses kummervollen Anblicks waren alle Fürsten des Auslandes, repräsentiert in der Person ihrer Gesandten und Abgeordneten. Der König weinte! Dieses ist ein betrübendes Ereignis. Viele verdächtigen diese Tränen des Königs und vergleichen sie mit denen des Reineke. Aber ist es nicht schon hinlänglich tragisch, wenn ein König so sehr bedrängt und geängstet worden, daß er zu dem feuchten Hülfsmittel des Weinens seine Zuflucht genommen? Nein, Ludwig Philipp, der königliche Dulder, braucht nicht eben seinen Tränendrüsen Gewalt anzutun, wenn er an die Schrecknisse denkt, wovon er, sein Volk und die ganze Welt bedroht ist. — (6, 233f.)

Nicht nur der erste Satz, sondern die ganze Sequenz ist als Anfang ein relativer, weil der Leser das (im folgenden mit keinem Wort erwähnte) Attentat vom Oktober 1840 als Anschlußpunkt der emphatischen Mitteilung interpolieren muß, daß Louis-Philippe während der Thronrede in Tränen ausbrach. Sind das linguistische Quisquilien? Man wird doch auf ein bewußtes und wesentliches Verfahren schließen dürfen, das mit der Absicht zusammenhängt, das Ausschnitthaft-Situative zu betonen und dem Bericht die "Farbe des Augenblicks" zu geben. So tragen die zahlreichen nur relativen Anfangssätze dazu bei, die Aufzeichnungen der "Tagesgeschichte" von der distanzierten, stets retrospektiven Historiographie abzuheben; gerade die Eigenart der Anfänge erfüllt und bezeugt die Absicht, dem Leser Geschichte nahezubringen, die noch nicht historisch geworden ist.

Die zuletzt angezogene Textstelle gibt auch schon ein Beispiel für die Kunst, durch Phrasierung und Periodenbau, durch Fragen, Ausrufe und Interjektionen, durch Apostrophen und Wiederholungen, durch den Numerus, den Rhythmus der Sätze und Sequenzen *cognitive meaning* und *emotive meaning* miteinander zu verweben. So dient etwa die emphatische, unvermittelte Erwähnung des königlichen Weinens als Konnotator, sofern darin über das denotativ Bezeichnete hinaus die Betroffenheit des Berichtenden (und also des Publikums) mitausgedrückt ist. Bereits die geringfügig abgewandelte, in sachlicher Beziehung überflüssige Wiederholung "Der König hat geweint ... Der König weinte!" bewirkt, daß in der Mitteilung des Sachverhalts der Ausdruck des subjektiven Reflexes als eine — konnotativ zu erfassende — Dimension der Nachricht mitenthalten ist. Dies läßt sich am zweiten Abschnitt des Berichts vom 29. Juli 1840 noch reichlicher zeigen:

> Sind aber die Engländer in der Politik wirklich so ausgezeichnete Köpfe? Worin besteht ihre Superiorität in diesem Feld? Ich glaube, sie besteht darin, daß sie erzprosaische Geschöpfe sind, daß keine poetischen Illusionen sie irre leiten, daß keine glühende Schwärmerei sie blendet, daß sie die Dinge immer in ihrem nüchternsten Lichte sehen, den nackten Tatbestand fest ins Auge fassen, die Bedingnisse der Zeit und des Ortes genau berechnen und in diesem Kalkül weder durch das Pochen ihres Herzens noch durch den Flügelschlag großmütiger Gedanken gestört werden. Ja, ihre Superiorität besteht darin, daß sie keine Einbildungskraft besitzen. Dieser Mangel ist die ganze Force der Engländer und der letzte Grund ihres Gelingens in der Politik wie in allen realistischen Unternehmungen, in der Industrie, im Maschinenbau usw. Sie haben keine Phantasie; das ist das ganze Geheimnis." (6, 205f.)

Denotativ bezeichnet die Sequenz, nach den beiden Fragesätzen, den für die Beantwortung der Fragen relevanten Zug des englischen Nationalcharakters. Aber der Leser entnimmt dem Text mehr: durch die redundante Entfaltung eines Aussageinhalts in der Kette der vier asyndetisch-anaphorisch gestaffelten, nachgestellt-konjunktionalen Objektsätze, durch den symmetrisch zu diesen vier Konjunktionalsätzen vierfach gestaffelten letzten daß-Satz, durch den von dieser syntaktischen Gliederung modellierten Rhythmus, durch die klimaktische Wiederholung des Phantasiemangels, durch die emphatische Profilierung dieser Behauptung im *cursus planus* der Kadenz "das ist das ganze Geheimnis". Über die denotative Bezeichnung eines Sachverhalts hinaus bilden die zitierten Sätze insgesamt ein Zeichen mit dem Inhalt: Welch horrende Kraft- und Machtquelle liegt in dem behaupteten Charakterzug!

84

Ohne daß denotativ davon die Rede wäre, drückt die Sequenz als konnotatives Zeichen die Mischung von Respekt und Abscheu, von Horror und Bewunderung aus, welche den Berichtenden erfüllt und welche er den Leser mitaufzufassen zwingt.

Wenn Heines nachträgliche Bemerkung, bei der Zusammenstellung seiner Berichte sei die ordnende Hand des Künstlers am Werk gewesen, auch für die Komposition der einzelnen Berichte in Anspruch zu nehmen ist, so natürlich für die kaum anders als Kunst zu nennende Weise, die unterschiedlichen Partien und Punkte des Berichtstoffs zueinander in Beziehung zu setzen. Der Rekurs auf ein hochentwickeltes Assoziationsvermögen oder auf die Meisterschaft zwanglos-beweglichen Plauderns reicht nicht aus. Denn damit wäre das Prinzip noch nicht erfaßt, nach welchem Heine vom einen aufs andere kommt, dieses an jenes schließt: nämlich das Prinzip, die einzelnen Informationen einander perspektivisch zuzuordnen. Nehmen wir als verdeutlichendes Modell dessen, was gemeint ist, den Unterschied der Hypotaxe zur Parataxe, nehmen wir die grammatische Periode.[9] In ihr gibt es bekanntlich die Über- und Unterordnung von Sätzen oder Satzteilen, gibt es die Unterscheidung von Vorder- und Hintergrund in der Rede selbst, gibt es somit ein perspektivisches Verhältnis der wechselseitigen Abhängigkeiten von Gedanken- und Redeinhalten. Die einzelnen Aussagen, welche die Rede konstituieren, liegen in der Periode, im Satzgefüge anders als bei der Parataxe nicht in einer Ebene, sondern sind gleichsam in die Tiefe gestaffelt. Genau dies aber charakterisiert, jenseits des Grammatischen, die 'Syntax' der Berichtinhalte bei Heine. Es ist aus Raumgründen unmöglich, dieses Verfahren anhand von Textbeispielen zu veranschaulichen; der Umfang der Zitate müßte das zulässige Maß weit überschreiten. Es sei also nur verwiesen auf Berichte, die als Beispiel besonders geeignet wären: etwa auf den Artikel vom 19. Dezember 1841 (6, 284—88), wo Gedanken über den Luxor-Obelisken und über die Vendôme-Säule zum perspektivischen Punkt werden, um den Charakter und die Lage der Regierung Guizot als Mittelgrund, die latenten Kräfte und Strömungen der Zeit als Hintergrund anzusprechen. Oder auf den Artikel vom 29. Juli 1842 (6, 323-26), wo die Information über die

---

[9] Vgl. Ernst Cassirer, *Philosophie der symbolischen Formen*. Erster Teil: Die Sprache. Fotomechanischer Nachdruck der 2. Auflage. Darmstadt 1956. S. 289-291.

besorgten Gerüchte in bezug auf die Beseitigung des napoleoni schen Elefanten-Denkmal-Modells den Prospekt auf die Furcht al stabilisierenden Faktor im politischen Leben Frankreichs eröffnet Auch am Artikel vom 11. Dezember 1841 (6, 277-84) ließe sich gu demonstrieren, wie scheinbar versprengte Fakten und Materier (in Stichworten: die Neujahrsauslagen der Kaufläden und die Pas santen, die Blindheit der herrschenden Schicht und die Einsich Guizot's, die kommunistische Propaganda, die Vorliebe für die Re naissance in den Luxus- und Kunstartikeln, der Freitod des Maler Robert vor dem Hintergrund seiner künstlerischen Entwicklung) in eine signifikante Perspektive geraten. Es ist jener Artikel, ir welchem Heine sich dreimal einen *Flaneur* nennt, was zunächs wörtlich zu nehmen, dann aber auch auf den scheinbar flanierender Zug der Berichterstattung zu beziehen ist, auf das anscheinenc ganz unsystematische Verknüpfen von Ereignissen und "Arabes-ken" (6, 135). Jedoch eben in dem scheinbar planlosen Dahin-schlendern durch die Aktualitäten tritt hervor, daß die politisch-sozialen Verhältnisse und Prozesse der e i n e Bezugsrahmen de Berichterstattung und daß die Erfassung aller Berichtfakten durch eine ausgeprägt politische Sprache die e i n e Intention des Berich-tenden ist.[10]

Natürlich könnte man einwenden, Heine verknüpfe die einzel-nen Materien und Punkte dadurch, daß er einfach 'Aufhänger' sucht, um vom einen zum andern zu kommen. Aber dies würde der planvollen und signifikanten Unterscheidung von Vorder- und Hintergrund, von Über- und Untergeordnetem im jeweiligen In-formationskomplex nicht gerecht. Was dieses perspektivierende Verfahren, diese Tiefenstaffelung des Berichtstoffes bedeutet, er-mißt man erst, wenn man sich klar macht, welches Ineinanderspie-len von Oberflächen- und Tiefenstruktur, von "Tagesinteressen",

---

[10] Vgl. zum Begriff einer politischen Sprache und zum französischen Vorsprung in deren Ausbildung die Reflexionen Heines im (erst in der Buchausgabe veröffentlichten) 11. Artikel von 'Lutezia' vom 3. Juni 1840 (6, 180-182). Die französische Tagespresse, konstatiert Heine dort, gerät durch ihre Abhängigkeit von den politischen und ökonomischen Interessen der Kapitalgeber und der Bezieher "in eine beschränkende Abhängigkeit und, was noch schlimmer ist, in eine Exklusivität, eine Ausschließlichkeit bei allen Mitteilungen, wogegen die Hemmnisse der deutschen Zensur nur wie heitere Rosenketten erscheinen dürften. Der

"sogenannten Aktualitäten" (6, 182) und historischem Kontext des Politisch-Sozialen Heine durch Schreibart und Komposition bewußt macht. Ein relativ knappes Beispiel findet sich gegen Ende des Berichts vom 4. Dezember 1842. Hier staffelt Heine seine Mitteilungen so, daß sich für den Leser das dem Pariser Publikum Nahegehende als das Oberflächlichste, das für den Autor Vordringliche als das für die öffentliche Meinung Unbeträchtlichste hervorkehrt; ironisch desavouiert Heine die Erheblichkeit des fürs Publikum Interessanten zugunsten der Relevanz des "von der Diskussion der Tagesinteressen, den sogenannten Aktualitäten" (6, 182) Ausgeschlossenen:

Hier in Frankreich herrscht gegenwärtig die größte Ruhe. Ein abgematteter, schläfriger, gähnender Friede. Es ist alles still wie in einer verschneiten Winternacht. Nur ein leiser, monotoner Tropfenfall. Das sind die Zinsen, die fortlaufend hinabträufeln in die Kapitalien, welche beständig anschwellen; man hört ordentlich, wie sie wachsen, die Reichtümer der Reichen. Dazwischen das leise Schluch-

---

Redacteur en chef eines französischen Journals ist ein Condottiere, der durch seine Kolonnen die Interessen und Passionen der Partei, die ihn durch Absatz oder Subvention gedungen hat, verficht und verteidigt. Seine Unterredacteure, seine Lieutenants und Soldaten, gehorchen mit militärischer Subordination, und sie geben ihren Artikeln die verlangte Richtung und Farbe, und das Journal erhält dadurch jene Einheit und Präzision, die wir in der Ferne nicht genug bewundern können. Hier herrscht die strengste Disziplin des Gedankens und sogar des Ausdrucks." Der Satz "Cela n'entre pas dans l'idée de notre journal" markiert im Unterschied zur deutschen "gemütlichen Vielseitigkeit" das Prinzip solch "praktisch einseitiger" Beanspruchung der Preßfreiheit. Heine vermerkt aber auch die Gunst dieser Verhältnisse: eben durch solche Ausrichtung, Meinungs- und Sprachregelung entgehen die Artikel der französischen Blätter der Beliebigkeit privaten und theoretischen Politisierens wie in den deutschen, "wo der Verfasser seine politische Sprache erst schaffen und durch die Urwälder seiner Ideen sich mühsam durchkämpfen muß". Eine politische Sprache erweist sich demnach für Heine nicht einfach an ihrem referentiellen Bezug, sondern, wenn ich es recht verstehe, erst durch ihre Rolle im gesellschaftlichen Zusammenhang und durch ihre restriktive, d. h. die Universalität und Komplexität des Weltbezugs auf das Politische als exklusives Kommunikations- und Interaktionssystem reduzierende Leistung.

zen der Armut. Manchmal auch klirrt etwas wie ein Messer, das ge-
wetzt wird. Nachbarliche Tumulte kümmern uns sehr wenig, nicht
einmal das rasselnde Schilderheben in Barcelona hat uns hier auf-
gestört. Der Mordspektakel, der im Studierzimmer der Mademoiselle
Heinefetter zu Brüssel vorfiel, hat uns schon weit mehr interessiert
und ganz besonders sind die Damen ungehalten über dieses deutsche Gemüt, das trotz eines mehrjährigen Aufenthalts in Frankreich
doch noch nicht gelernt hatte, wie man es anfängt, daß zwei gleich-
zeitige Anbeter sich nicht auf der Walstätte ihres Glücks begegnen.
(6, 335f.)

Was für die Gesellschaft spektakulär ist, die eifersüchtige Bluttat
in Brüssel, erweist sich aus der Perspektive des Berichts als eine
belanglose Arabeske; was die öffentliche Meinung kaum bewegt,
der revolutionäre Ausbruch in Barcelona, verweist bereits als ein
Menetekel auf die tieferen Bewegungen der europäischen Verhältnisse; was als Ruhe, Frieden, Winterstille genommen wird und
private Skandalaffären zu Sensationen macht, ist in Wahrheit das
historisch Relevante: nämlich das beständige, wenngleich latente
Wachsen der sozialen Spannungen und Diskrepanzen.

Mit Rücksicht auf die perspektivierende Absicht der Schreibart
kann denn auch nur von Totalität gesprochen werden, nicht mit
Rücksicht auf die Vollständigkeit der Objekte und Aspekte; es
stimmt einfach nicht, wenn gesagt wurde, Heine beachte alle wichtigen Aspekte des vielseitigen Gesamtphänomens Paris, als halte
er in dieser Beziehung einen Vergleich mit Balzac aus. Nicht im
Quantitativen liegt die Totalität, sondern darin, daß alles, wovon
die Rede ist — auch die Gemäldeausstellungen, auch der Amüsier-
betrieb, auch die Konzertsaison — Signifikanz in dem und durch
den Kontext der politisch-sozialen Verhältnisse gewinnt. So heißt
es im Bericht vom 20. März 1843 über die musikalische Saison:

Dieses Überhandnehmen des Klavierspielens und gar die Triumph-
züge der Klaviervirtuosen sind charakteristisch für unsere Zeit und
zeugen ganz eigentlich von dem Sieg des Maschinenwesens über
den Geist. Die technische Fertigkeit, die Präzision eines Automaten,
das Identifizieren mit dem besaiteten Holze, die tönende Instru-
mentwerdung des Menschen wird jetzt als das Höchste gepriesen
und gefeiert. Wie Heuschreckenscharen kommen die Klaviervirtuosen jeden Winter nach Paris, weniger, um Geld zu erwerben, als
vielmehr, um sich hier einen Namen zu machen, der ihnen in andern Ländern desto reichlicher eine pekuniäre Ernte verschafft. Pa-

ris dient ihnen als eine Art von Annoncenpfahl, wo ihr Ruhm in kolossalen Lettern zu lesen. Ich sage, ihr Ruhm ist hier zu lesen, denn es ist die Pariser Presse, welche ihn der gläubigen Welt verkündet, und jene Virtuosen verstehen sich mit der größten Virtuosität auf die Ausbeutung der Journale und Journalisten. (6, 345f.)

Die Wandlung des Konzertlebens durch die aufkommende Kulturindustrie, die Kommerzialisierung der Musik, die damit zusammenhängende Bedeutung von Reklame, Publicity und Management gibt hier den perspektivischen Punkt ab für den Bericht über die Hauptereignisse und Hauptmatadoren der Saison; damit aber ist diesem Konzertleben der Eintritt ins Industriezeitalter mit seinen gesellschaftlichen und kulturellen Konsequenzen als Hintergrund zugeordnet. Das gleiche gilt vom Bericht über die Gemäldeausstellung im Artikel vom 8. Mai 1843. Heine schildert, wie er sich gequält habe, in der chaotischen Fülle der Exponate "den Gedanken der Zeit", "den verwandtschaftlichen Charakterzug", "das Gepräge unserer Periode" (6, 392) zu entdecken; er fragt endlich "Was wird sich aber unsern Nachkommen, wenn sie einst die Gemälde der heutigen Maler betrachten, als die zeitliche Signatur offenbaren? Durch welche gemeinsame Eigentümlichkeiten werden sich diese Bilder gleich beim ersten Blick als Erzeugnisse aus unsrer gegenwärtigen Periode ausweisen?" (6, 392) und versucht diese Frage mit einer zweiten zu beantworten: "Hat vielleicht der Geist der Bourgeoisie, der Industrialismus, der jetzt das ganze soziale Leben Frankreichs durchdringt, auch schon in den zeichnenden Künsten sich dergestalt geltend gemacht, daß allen heutigen Gemälden das Wappen dieser neuen Herrschaft aufgedrückt ist?" (6, 392)

Und wiederum sind es im Bericht vom 7. Februar 1842 die Tanzveranstaltungen als aktuelles und vordergründiges Phänomen, was die tieferen sozialen, kulturellen und politischen Prozesse in den Blick rückt. " 'Wir tanzen hier auf einem Vulkan' — aber wir tanzen. Was in dem Vulkan gärt, kocht und brauset, wollen wir heute nicht untersuchen, und nur wie man darauf tanzt, sei der Gegenstand unserer Betrachtung." (6, 294) Demnach scheint Heine von der Beziehung zwischen Vorder- und Hintergrund, Oberfläche und Tiefe gerade absehen zu wollen, und es folgt denn auch eine Reihe von Informationen und Bemerkungen über Tanzkunst, Ballette, christliche Verwerfung der Tanzkunst, Keuschheit des französischen Balletts, Gesellschaftsbälle, schließlich auch über die Tanzvergnügen der unteren Klassen und die staatlichen Versuche, der Laszivität dieses Tanzens zu steuern; dann geht es weiter:

> Es sind aber nicht bloß die geschlechtlichen Beziehungen, die auf den Pariser Bastringuen [Bälle in Vorstadtkneipen, W.P.] der Gegenstand ruchloser Tänze sind. Es will mich manchmal bedünken, als tanze man dort eine Verhöhnung alles dessen, was als das Edelste und Heiligste im Leben gilt, aber durch Schlauköpfe so oft ausgebeutet und durch Einfaltspinsel so oft lächerlich gemacht worden, daß das Volk nicht mehr wie sonst daran glauben kann. Ja, es verlor den Glauben an jenen Hochgedanken, wovon unsre politischen und literarischen Tartüffe so viel singen und sagen; und gar die Großsprechereien der Ohnmacht verleideten ihm so sehr alle idealen Dinge, daß es nichts anders mehr darin sieht als die hohle Phrase, als die sogenannte Blague (. . .).

Unter diesem Gesichtspunkt gelte es "jene unaussprechlichen Tänze" zu begreifen, welche, "eine getanzte Persiflage, nicht bloß die geschlechtlichen Beziehungen verspotten, sondern auch die bürgerlichen, sondern auch alles, was gut und schön ist, sondern auch jede Art von Begeisterung, die Vaterlandsliebe, die Treue, den Glauben, die Familiengefühle, den Heroismus, die Gottheit". Und dann schließt die Schilderung eines Karnevalsballs in der Opéra Comique:

> Hier musiziert Beelzebub mit vollem Orchester, und das freche Höllenfeuer der Gasbeleuchtung zerreißt einem die Augen. Hier ist das verlorene Tal, wovon die Amme erzählt; hier tanzen die Unholden wie bei uns in der Walpurgisnacht, und manche ist darunter, die sehr hübsch und bei aller Verworfenheit jene Grazie, die den verteufelten Französinnen angeboren ist, nicht ganz verleugnen kann. Wenn aber gar die Galopp-Ronde erschmettert, dann erreicht der satanische Spektakel seine unsinnigste Höhe, und es ist dann, als müsse die Saaldecke platzen und die ganze Sippschaft sich plötzlich emporschwingen auf Besenstielen, Ofengabeln, Kochlöffeln — "oben hinaus, nirgends an!" — ein gefährlicher Moment für viele unserer Landsleute, die leider keine Hexenmeister sind und nicht das Sprüchlein kennen, das man herbeten muß, um nicht von dem wütenden Heer fortgerissen zu werden. (6, 299f.)

Wovon ist die Rede? Vordergründig von der bis zum Ungeheuerlichen gesteigerten dämonischen Lust auf einem "jener bunten Nachtfeste" der unteren Klassen; hintergründig — vermittelt durch Anspielung, Metaphorik, Vergleich, Gestus — von dem, was den konnotativen Inhalt der Ball-Impressionen ausmacht: von der sozialen Krise, vom Zusammenhang zwischen Misere, Depravation und Aggressivität, von der noch mittelbaren Auflehnung der Entfremdeten gegen eine zum Hohn gewordene Ordnung und Kultur.

> Ich habe nicht das Gewitter, sondern die Wetterwolken beschrieben, die es in ihrem Schoße trugen und schauerlich düster heranzogen. Ich berichtete oft und bestimmt über die Dämonen, welche in den untern Schichten der Gesellschaft lauerten und aus ihrer Dunkelheit hervorbrechen würden, wenn der rechte Tag gekommen. Diese Ungetüme, denen die Zukunft gehört, betrachtete man damals nur durch ein Verkleinerungsglas, und da sahen sie wirklich aus wie wahnsinnige Flöhe — aber ich zeigte sie in ihrer wahren Lebensgröße, und da glichen sie vielmehr den furchtbarsten Krokodilen, welche jemals aus dem Schlamm gestiegen. — (6, 135)

Dieser Vorbemerkung zur Buchausgabe von 1854 entspricht, was Heine am 24. August 1852 an Julius Campe über den in allen Berichten und allen einzelnen Informationen reflektierten zeitgeschichtlichen Zusammenhang und damit über den einheitlichen Bezugsrahmen seiner Artikel geschrieben hatte:

> Der Held meines Buches, der wahre Held desselben, ist die soziale Bewegung, welche Thiers, als er auch Deutschland aufposaunte, plötzlich entfesselte, und welche Guizot vergebens zurückzudrängen suchte. Diesen Stoff behandelt mein Buch; er entfaltet sich am meisten in der Jahren 40—43; die Februarrevolution ist nur der Ausbruch der Revolution, und ich könnte mein Buch wohl mit Recht eine Vorschule derselben nennen.

Damit ist nachträglich ein *signifié* ausgesprochen, das der Text, die Reihe der Berichte, nirgends ausdrücklich nennt. Die Artikel bilden in sich und in ihrer Folge eine Reihe von komplexen Zeichen, deren letzte Bedeutung nicht denotativ vermittelt wird. Welche Funktion in dieser Beziehung die Schreibart als suggestives Moment, als *meaning of structure,* als *signifiant* eines konnotativen Inhalts hat, sollte hier in den Blick gerückt und einigermaßen beschrieben werden. Es bleibt der Ausblick auf den historischen Bezugsrahmen des Dargelegten.

In dem Zueignungsbrief, der 'Lutezia' einleitet, nimmt Heine für seine Berichte in Anspruch, daß sie dem späteren Historiker als eine Geschichtsquelle dienen könnten, welche "die Bürgschaft der

Tageswahrheit in sich trägt" (6, 136). Ähnlich meinte er schon in 'Französische Zustände' von einer Information, sie habe wohl das Verdienst, "daß sie gleichsam ein Bulletin ist, welches auf dem Schlachtfeld selbst und zwar während der Schlacht geschrieben worden, und daher unverfälscht die Farbe des Augenblick trägt" (5, 94). So bezeugt denn Heine bezüglich der Bearbeitungen der beiden Artikelserien für die Buchform jedesmal ausdrücklich seine Rücksichtnahme auf dieses Charakteristikum der Tageswahrheit: die Eingriffe, heißt es in 'Französische Zustände', "betreffen nie eigentliche Irrtümer, falsche Prophezeiungen, schiefe Ansichten, die hier nicht fehlen dürfen, da sie zur Geschichte der Zeit gehören. Die Ereignisse selbst bilden die beste Berichtigung" (5, 95). Entsprechend betont die Vorrede zu 'Lutezia', der korrigierende Rotstift habe nur Unwesentliches getroffen, "keineswegs die Urteile über Dinge und Menschen, die oft irrig sein mochten, aber immer getreu wiedergegeben werden mußten, damit die ursprüngliche Zeitfarbe nicht verlorenging" (6, 182).

Genau in diesem Punkt sah Robert Prutz in seiner kapitalen, für die kommunikationspolitischen Tendenzen jener Zeit ungemein aufschlußreichen 'Geschichte des deutschen Journalismus' von 1845 den über das schlechtweg Informative hinausreichenden Wert und Sinn des Journalismus als Faktor und als Dokument der Zeitgeschichte:

Der Journalismus überhaupt, in seinen vielfachen Verzweigungen und der ergänzenden Mannigfaltigkeit seiner Organe, stellt sich als das Selbstgespräch dar, welches die Zeit über sich selbst führt. Er ist die tägliche Selbstkritik, welcher die Zeit ihren eigenen Inhalt unterwirft; das Tagebuch gleichsam, in welches sie ihre laufende Geschichte in unmittelbaren, augenblicklichen Notizen einträgt. Es versteht sich von selbst und bei den persönlichen Tagebüchern, welche wir etwa führen, geht es uns ja ebenso, daß die Stimmungen wechseln, daß Widersprüche sich häufen und Wahres und Falsches ineinanderläuft. Aber immerhin, das Wahre wie das Falsche hat nun einmal seine, wenn auch nur teilweise, nur scheinbare Berechtigung gehabt; es ist immerhin ein Erlebtes und, in seiner Irrtümlichkeit selbst, ein Moment unserer Bildung, mithin auch ein Moment unserer Geschichte. Im Journalismus daher, trotz dieser, ja eben wegen dieser schwankenden, flüchtigen Natur, liegen die geheimsten Nerven, die verborgensten Adern unserer Zeit sichtbar zu Tage.[11]

---

[11] Robert Prutz, *Geschichte des deutschen Journalismus*. Erster Teil. Hannover 1845 (= Prutz). S. 7.

Die Tageswahrheit wird trotz oder gar wegen ihrer Hinfälligkeit als etwas Positives gegen das Trachten nach dauernden oder gar immer währenden Wahrheiten ausgespielt. Dazu gehört ein recht ungewöhnliches Vertrauen auf den Wert von Informationen, Nachrichten, Mitteilungen, die sich früher oder später, vielleicht schon im nächsten Augenblick, als überholt oder unzulänglich erweisen können. Dazu gehört das Vertrauen auf den Wert durchaus befangener, weil an den Augenblick gebundener, dem Moment verhafteter Berichterstattung, die ihre Relativität, ihre Bedingtheit, ihre Überholbarkeit nicht nur weiß, sondern offen ausspielt. Man muß nur die klassizistische, noch vom alten Goethe beharrlich ausgesprochene Abwertung des Ephemeren, dessen, "was nur dem Tag gehört", dagegen halten, um das Neue und Oppositionelle einer solchen inhaltlichen wie stilistischen Betonung der Tageswahrheit und der Farbe des Augenblicks zu erfassen. Ich versuchte zu zeigen, wie es bei Heine zu einer Literarisierung des politischen Berichts kommt, wie Stil und Struktur als solche signifikant werden für das Widersprüchliche, Konfuse, Transitorische, Offene der politischen, sozialen und kulturellen Aktualitäten, wie die literarische Form auch signifikant wird für die Bedingtheit und Begrenztheit der Zeiterfahrung. Diese Literarisierung des politischen Berichts nun ist das Korrelat einer Politisierung der Literatur, die Heine wohl am vorzüglichsten, aber keineswegs allein vertritt. Um diesen literarhistorischen Bezugsrahmen zu markieren, seien nur einige wenige von unzähligen Zeugnissen der damaligen Literaturdiskussion angeführt.

Bereits 1818 prägt Börne in der Ankündigung von 'Die Waage. Zeitschrift für Bürgerleben, Wissenschaft und Kunst' den Begriff des Zeitschriftstellers, dessen Aufgabe sei, die "Aussagen der Zeit zu erlauschen, ihr Mienenspiel zu deuten und beides niederzuschreiben".[12] Gutzkow konstatiert 1832 in 'Briefe eines Narren an eine Närrin', die Deutschen seien auch seitens ihrer klassischen Literatur "bisher allem öffentlichen Leben entfremdet", und folgert daraus: "Die Notwendigkeit der Politisierung unserer Literatur ist unleugbar."[13] "Ich spüre eine Krankheit in mir, die ich noch in keiner

---

[12] Ludwig Börne, *Werke*. Hrsg. von Ludwig Geiger. 2. Bd. Berlin-Leipzig-Wien-Stuttgart o. J. (1911). S. 233.
[13] Zit. nach: *Das junge Deutschland. Texte und Dokumente*. Hrsg. von Jost Hermand. Stuttgart 1966. S. 101.

Pathologie beschrieben gefunden. Ich habe den Zeitpolyp (. . .) Der Zeitgeist tut weh in mir (. . .)" stöhnt 1834 Theodor Mundt in *'Moderne Lebenswirren'*.[14] Den Schritt "von dem bloß ästhetischen zum politischen Bewußtsein", das Hinaustreten der Poesie "aus der bloßen Innerlichkeit des schönen Subjekts (. . .) in die erfüllte, bewegte Welt des historischen Subjekts" registriert Prutz 1845 in *'Die politische Poesie der Deutschen'*.[15] Ludwig Wienbarg fragt 1834 in *'Ästhetische Feldzüge'*: "Welches Merkmal ist es also, das die Ästhetik der neuesten Literatur, die Prosa eines Heine, Börne, Menzel, Laube von früherer Prosa unterscheidet", und er findet dieses Merkmal im Verlassen eines Parnasses, einer "verzauberten idealen Welt": "Die neueren Schriftsteller sind von ihrer sicheren Höhe herabgestiegen, sie stoßen sich in der Menge herum (. . .) sie schwimmen mitten im Strom der Welt"; in der Entwicklung einer solchen Prosa habe sich Heine die größte Meisterschaft erworben.[16] Heinrich Laube betont 1835 in *'Moderne Charakteristiken'* das Zeiterlebnis als Hauptausdruck neuerer Schriftstellerei; alle Reiseschilderungen, Kritiken, Betrachtungen, Berichte hätten in diesem Sinn mehr oder weniger Memoirencharakter: "Sie sind der Roman und die Geschichte im Negligé, ein Übergang von der trockenen Geschichtsschreibung zu einer bunteren, die äußerste Subjektivität. Das Ich ist das einzige Medium, man ist noch nicht reif, noch nicht ausgebildet genug, die Zeit zu schildern, man hat noch kein ausgebildetes Urteil, nur einzelne Gedanken; die Stunden werden abgeschrieben."[17]

Das ist oder bedeutet im Grunde die gleiche Rechtfertigung der Tagesgeschichte, Tageswahrheit, Farbe des Augenblicks, die wir bei Heine und Prutz fanden. Die Notwendigkeit einer solchen ganz von der Stunde bedingten und geprägten Schreibart ergibt sich für

---

[14] *Das junge Deutschland* . . . S. 16.

[15] *Das junge Deutschland* . . . S.83.

[16] Ludwig Wienbarg, *Ästhetische Feldzüge*. Dem jungen Deutschland gewidmet. 2. Auflage mit einem Vorwort von Alfred Kerr. Hamburg 1919. S. 242.

[17] Heinrich Laube, *Gesammelte Werke in 50 Bänden*. Hrsg. von Heinrich Hubert Houben. 49. Bd. Leipzig 1909. S. 194. — Vgl. zu Laubes Hinweis auf die "Memoirenform" als den "Hauptausdruck neuerer Schriftstellerei" G. G. Gervinus' Unterscheidung von subjektiver und objektiver Geschichtsschreibung als "Memoire" und "Chronik".

Laube aus der Wandlung des geschichtlichen Lebens seit 1789: "Die Formen der Schriftstellerei sind immer ein verjüngter Maßstab der eben laufenden Geschichte, des eben herrschenden Zeitgeistes. Die Zeit der Bewegung war wie ein Wirbelwind losgebrochen, hastig, schleunig überflügelten sich die Ereignisse, man mußte Galopp mitreiten, wenn man sie fesseln wollte (...) da mußten die Federn rennen, sonst kamen sie zu spät".[18] Die jähe Beschleunigung der politischen Veränderungen, der Regimewechsel und Rechtsablösungen, der gesellschaftlichen Prozesse und technischen Entwicklungen, die Reichweite und Fernwirkung dieser Bewegungen ("die Geschichte ist epidemisch", formuliert Laube), dazu die wachsende Geschwindigkeit und Ausdehnung der Information durch die Presse ("der Geist des lesenden Nachbars macht alle die Fahrten, Wechsel und Sprünge mit", vermerkt Laube): all dies macht die Erfahrung der Rapidität und Wandelbarkeit zur beherrschenden Generationserfahrung. Allenthalben kann man lesen, welche Bedeutung der Eindruck ungeheuerlicher Beschleunigung und Instabilität für jenes Geschichtserlebnis gewann, welches dem Ruf nach dem *Zeitschriftsteller* zugrundeliegt. So schreibt 1843 der Rechtslehrer, Nationalökonom und Soziologe Lorenz von Stein: "Die alten Zustände werden umgestoßen, neue treten auf, selbst durch Neues bekämpft; ganze Gesetzgebungen wechseln, widersprechende Gestaltungen ziehen rasch vorüber; es ist, als ob die Geschichtsschreibung der Geschichte kaum mehr zu folgen im Stande sei". Und Alphonse de Lamartine hält es 1849 für nicht mehr möglich, Geschichte zu schreiben, weil die Geschwindigkeit der Zeit jede Distanz verzehre.[19]

Dies scheint nun weitab vom Thema zu liegen und gehört doch zur Sache. Der Zusammenhang der Berichte aus Paris mit einer allgemeinen Neuorientierung der Literatur und der Hintergrund dieser Neuorientierung waren anzudeuten. Denn was sparsam genug zitiert wurde aus der Unmenge einschlägiger Äußerungen, das verweist ebensogut auf das Stilistische wie auf das Stoffliche der Heine-Artikel. Bulletins aus noch während Schlacht, Geschichte

---

[18] Heinrich Laube, *Gesammelte Werke* ... S. 195.

[19] Zit. nach Reinhart Koselleck, Geschichtliche Prozesse in Lorenz von Steins Schrift zur preußischen Verfassung. In: *Der Staat. Zeitschrift für Staatslehre, öffentliches Recht und Verfassungsgeschichte.* 4. Jg., 1965. S. 472.

im Negligé, Wettlauf mit sich überflügelnden Ereignissen, mit galoppierender Geschichte, hingeworfene Skizzen, abgeschriebene Stunden, telegraphische Fernschrift, und so fort: all diese buchstäblichen oder metaphorischen Charakteristika eines *neuen Genre* deuten auf Heines Beispiel und Vorbild, auf die textformale Signifikanz seiner Berichte, auf den informatorischen und kommunikativen Sinn seiner Schreibart.

Freilich darf man die berichtmäßige Entfaltung der politisch-sozialen Verhältnisse als transitorische, im Wandel begriffene, dynamisch bewegte Wirklichkeit, als Nachbeben und Vorläufer von Revolution, nicht als selbstgenugsame Darstellung ansehen. Die Politisierung der Literatur durch Literarisierung der Berichtform zielt auf die Politisierung des Lesers, des Publikums. In 'Lutezia' heißt es einmal, die Eröffnung zweier Eisenbahnlinien "verursacht hier eine Erschütterung, die jeder mitempfindet, wenn er nicht etwa auf einem sozialen Isolierschemel steht" (6, 359). Den Leser vom sozialen Isolierschemel herunterzuholen — mit diesem Bild hätte Heine seine Absicht sicher getroffen gefunden. Schon die Vorrede zu 'Französische Zustände' spricht von "Berichterstattungen, die nur das Verständnis der Gegenwart beabsichtigen", und schließt die Hoffnung an: "Wenn wir es dahin bringen, daß die große Menge die Gegenwart versteht, so lassen sich die Völker nicht mehr von den Lohnschreibern der Aristokratie zu Haß und Krieg verhetzen (...) Dieser Wirksamkeit bleibt mein Leben gewidmet, es ist mein Amt" (5, 11). Es handelt sich also darum, die Distanz des Lesers zu den politischen und sozialen Vorgängen aufzuheben, und zwar nicht im Nachhinein, durch historiographische Darstellung, sondern durch die Einschaltung des Lesers ins Aktuelle, in das, was im Gang ist im nach vorne immer offenen Kontext der Geschichte.

Dies läßt sich wiederum durch Prutz profilieren. Auch für ihn ist das innerste Prinzip des Zeitungswesen das "Prinzip der Öffentlichkeit und Allgemeinheit" (Prutz, 90), auch für ihn kann und soll die Tagespresse die "unermeßliche Lücke zwischen den Regierenden und den Regierten ausfüllen helfen" (Prutz, 16), sollte sie "die Teilnahme aller an allem" (Prutz, 87) gewährleisten oder wenigstens in Gang bringen.[20] Denn:

[20] Das ausgiebige Zitieren der öffentlichen Meinung mit ihren Fraktionen, Parteiungen, Spannungen und Diskrepanzen ist ein hervorste-

Die theoretische Beteiligung des Publikums an den Ereignissen der Geschichte, diese Neugier für die Geheimnisse des Staats, dieses Interesse für alle politischen Zustände und Begebenheiten, das den einen so unbequem fällt, während die anderen in ihm die zwar ungenügende, aber notwendige Voraussetzung und das gewisse Unterpfand einer künftigen praktischen Teilnahme erblicken — dieses Ganze ist erst durch den Journalismus, speziell durch das Zeitungswesen, überhaupt zuwege gebracht worden. Der Journalismus zuerst hat die Möglichkeiten einer solchen Teilnahme gegeben, wie er dem Bedürfnis derselben sein eigenes Dasein verdankt. Erst die Zeitungen haben das geschaffen, was wir heute die Stimme des Publikums, die Macht der öffentlichen Meinung nennen; ja ein Publikum selber ist erst durch die Zeitungen gebildet worden. (Prutz, 19)

Und diese Situation lenkt den Blick rückwärts: "Oder denken wir uns einen Augenblick zurück in die Epoche vor Entstehung der Zeitungen. Damals, zu den Ereignissen der Zeitgeschichte, zu der Unmittelbarkeit seiner eigenen Schicksale, welches Verhältnis konnte der große Haufen des Volks einnehmen? War ein anderes denkbar, als nur das Verhältnis einer blinden, geist- wie willenlosen Unterwerfung?" (Prutz, 84). Ich sehe in diesen Sätzen die historische Legitimation, so nach dem Zusammenhang von Absicht und Schreibart in Heines Pariser Berichten zu fragen, wie es hier versucht wurde.

Aber — und auch dies führt schon die Schreibart als solche mit sich — niemals erhebt Heine wie in den modernen totalitären Ideologien den Ausspruch, jedem Ereignis, jedem Vorgang, jedem Verhältnis seinen weltgeschichtlichen Ort zu bestimmen, verfügend zu wissen, wie sie positiv oder negativ auf das Endziel der Geschichte bezogen seien. Nirgendwo demonstriert Heine die Sicherheit des

---

chender Zug in Heines Berichten; eine ganze Reihe der hier herangezogenen Textbeispiele läßt ihn deutlich erkennen. Auch diese Entfaltung der öffentlichen Meinung in ihrer Polyphonie ist ein wichtiges Mittel, die einzelnen Partien und Inhalte eines Berichts 'syntaktisch' zueinander in Beziehung zu setzen, perspektivisch zu staffeln. Allerdings erschöpft sich das ständige Abheben auf das, was öffentlich gemeint, geredet, vermutet, geltend gemacht wird, nicht in dieser Funktion; es geht Heine auch darum, Wirkungen, Gewicht und Macht der öffentlichen Meinung gewahren zu lassen, sie als zunehmenden Faktor der politischen Verhältnisse zu erweisen.

über das Ganze der Geschichte definitiv Verständigten, niemals trägt er die Untrüglichkeit eines zur Schau, der den Gang der Geschichte nach hinten und nach vorne durchschaut und der deshalb die aktuellen Verhältnisse und Vorgänge nach dogmatischen Interpretationsmodellen zu deuten beansprucht. Gerade umgekehrt sorgen auch Struktur und Stil seiner Berichte dafür, das Ganze der Geschichte als einen grundsätzlich offenen Prozeß, den keine Gesetze determinieren, erscheinen zu lassen. Verständnis der Gegenwart, politische Aufklärung, "Verbreitung von gemeinnützigem Wissen, dem besten Emanzipationsmittel" (6, 189) wollen diese Artikel gerade dadurch erreichen, daß sie den aperspektivischen Standpunkt desavouieren, den jene unvermeidlich einnehmen, die für sich die Kenntnis des Endes der politischen und sozialen Bewegung voraussetzen.

I

Es hatte mein Haupt die schwarze Frau
Zärtlich ans Herz geschlossen;
Ach! meine Haare wurden grau,
Wo ihre Tränen geflossen.

Sie küßte mich lahm, sie küßte mich krank,
Sie küßte mir blind die Augen;
Das Mark aus meinem Rückgrat trank
Ihr Mund mit wildem Saugen.

Mein Leib ist jetzt ein Leichnam, worin
Der Geist ist eingekerkert —
Manchmal wird ihm unwirsch zu Sinn,
Er tobt und rast und berserkert.

Ohnmächtige Flüche! Dein schlimmster Fluch
Wird keine Fliege töten.
Ertrage die Schickung und versuch
Gelinde zu flennen, zu beten.

                                        (2, 92)[1]

Es sitzen am Kreuzweg drei Frauen,
Sie grinsen und spinnen,
Sie seufzen und sinnen;
Sie sind gar häßlich anzuschauen.

Die erste trägt den Rocken,
Sie dreht die Fäden,
Befeuchtet jeden;
Deshalb ist die Hängelippe so trocken.

---

[1] Heines Werke werden zitiert nach: Heinrich Heine, *Sämtliche Werke.* Hrsg. von Ernst Elster. Leipzig o. J. (1887-90). Die Ziffer vor dem Komma zeigt den Band, die hinter dem Komma die Seite an.

Die zweite läßt tanzen die Spindel;
Das wirbelt im Kreise
In drolliger Weise;
Die Augen der Alten sind rot wie Zindel.

Es hält die dritte Parze
In Händen die Schere,
Sie summt Miserere;
Die Nase ist spitz, drauf sitzt eine Warze.

O spute dich und zerschneide
Den Faden, den bösen,
Und laß mich genesen
Von diesem schrecklichen Lebensleide!

(2, 96)

Das sind zwei Beispiele für den Komplex, von dem die Rede sein
soll, zwei von den Gedichten aus der Matratzengruft, in denen
der acht Jahre unter Qualen dahinsterbende Heine diese "schreckliche Tragödia" zum Motiv und Thema gemacht hat. Gedichte, die
in einen nicht mehr zustandegebrachten letzten Gedichtband gehören: in "Das Buch Lazarus". Denn es gibt Indizien, daß Heine
die "lyrischen Bulletins" (Ludwig Marcuse)[2] seines seit 1848 ek-
latanten tödlichen Siechtums an Rückenmarkdarre in einem — nach
dem 'Buch der Lieder' (1827), den 'Neuen Gedichten' (1844), dem
'Romanzero' (1851) — vierten Gedichtbuch sammeln wollte. So
schrieb er zur französischen Übersetzung der 'Gedichte. 1853 und
1854', unter dem Titel 'Le Livre de Lazare' in der 'Revue des Deux
Mondes' erschienen, an seinen Verleger Campe: "Ich sagte ihm
[dem Übersetzer Saint-René Taillandier, W.P.], sie 'das Buch Lazarus' zu nennen, indem spätere Gedichte sich daran anknüpfen
und ein Ganzes bilden werden".[3]

Man kann vermuten, daß es sich dabei um mindestens 65 Gedichte handelt: um die 33 in der Übersetzung 'Le Livre de Lazare'
genannten 'Gedichte. 1853 und 1854', unter denen eine Gruppe
von 11 ausdrücklich 'Zum Lazarus' heißt; um die 20 unter dem

[2] Heinrich Heine in Selbstzeugnissen und Bilddokumenten dargestellt von Ludwig Marcuse. Reinbek 1960 (rowohlts monographien 41).
S. 144.
[3] Heinrich Heines Briefwechsel. Hrsg. von Friedrich Hirth. Mün-
chen-Berlin 1914 ff. Bd. 3, S. 575.

Titel 'Lazarus' zusammengefaßten Gedichte aus dem zweiten Buch des 'Romanzero', den 'Lamentationen'; um die 7 wiederum unter der Überschrift 'Zum Lazarus' 1857 von Henri Julia mit anderem Nachlaß veröffentlichten Gedichte; schließlich um die 5 im Nachlaß 'Letzte Gedichte und Gedanken von Heinrich Heine' 1869 ans Licht getretenen Gedichte, die sich unverkennbar an die Gruppe 'Zum Lazarus' unter den Gedichten von 1853 und 1854 anschließen.

Produkte, die "der Augenblick erzeugt, womit ich meine Leiden verscheuche, Gedichte der Agonie"[4]— so hat Heine selber die fatale und ungeheuerliche Genesis und Beschaffenheit dieser Lyrik gekennzeichnet, und in einem der 'Zum Lazarus' zählenden Gebilde ist diese ungeheuerliche Bewandtnis selbst Sujet geworden:

> Wie langsam kriechet sie dahin,
> Die Zeit, die schauderhafte Schnecke!
> Ich aber, ganz bewegungslos
> Blieb ich hier auf demselben Flecke.
>
> In meine dunkle Zelle dringt
> Kein Sonnenstrahl, kein Hoffnungsschimmer;
> Ich weiß, nur mit der Kirchhofsgruft
> Vertausch ich dies fatale Zimmer.
>
> Vielleicht bin ich gestorben längst;
> Es sind vielleicht nur Spukgestalten
> Die Phantasieen, die des Nachts
> Im Hirn den bunten Umzug halten.
>
> Es mögen wohl Gespenster sein,
> Altheidnisch göttlichen Gelichters;
> Sie wählen gern zum Tummelplatz
> Den Schädel eines toten Dichters.—
>
> Die schaurig süßen Orgia,
> Das nächtlich tolle Geistertreiben
> Sucht des Poeten Leichenhand
> Manchmal am Morgen aufzuschreiben.

(2, 92f.)

Diese Gedichte haben nicht annähernd solche Sensation gemacht,

---

[4] *Heinrich Heines Briefwechsel* . . . Bd. 3, S. 353.

sind niemals so umstritten gewesen wie die früheren. Selbst Karl
Kraus erwies ihnen seine — einigermaßen zynische — Reverenz:
"Die Lyrik seines Sterbens, Teile des Romanzero, die Lamentationen, der Lazarus: hier war wohl der beste Helfer am Werke, um
die Form Heines zur Gestalt zu steigern. Heine hat das Erlebnis
des Sterbens gebraucht, um ein Dichter zu sein ... Das ist andere
Lyrik, als jene, deren Erfolg in den Geschäftsbüchern ausgewiesen
steht."[5] Vereinzelt bleibt demgegenüber die Gehässigkeit des ano-
nymen Rezensenten, der in der 'Berliner Feuerspritze' vom 9. 5.
1853 mit dem Lazarus in der Rue d'Amsterdam ins Gericht ging:
"Die Totkranken der alten Schule zogen ihre Fenstervorhänge zu,
schlossen ihre Türen vor den Menschen und ihre Augen vor der
Welt zu; dann starben sie. Der kluge Heine hat die Unmenschlich-
keit dieses Gebarens eingesehen. Er wollte sich nicht wie die wil-
den Tiere in eine einsame Wildnis verbergen und im Schweigen
der Einöde die Seele aushauchen ... Heine fühlte das Bedürfnis, ein
neues Genre des Sterbens zu schaffen. Warum sollten bisher allein die Toten und nicht auch die Kranken auf dem Paradebette
liegen können? ... Und Heine, der immer Geniale, schuf das poetische Sterbebette, das feuilletonistische Siechtum, die periodischen
Bulletins, ja von Zeit zu Zeit ließ er selbst seine kritischen Aus-
scheidungen — drucken."[6] Immerhin: das Unerhörte, aus dem
Rahmen Fallende wird in dieser Schmährede stärker hervorgehoben als späterhin vom Unisono der Achtung und Bewunderung.[7]
Dieses aus dem Rahmen Fallende soll in der Folge im Blickpunkt
stehen; der Rahmen, aus dem es fällt oder zu fallen scheint, muß
dabei selbstverständlich im Blickfeld bleiben.

---

[5] Karl Kraus, *Auswahl aus dem Werk*. Hrsg. von Heinrich Fischer.
Frankfurt a. M. 1961 (Fischer Bücherei 377). S. 153.

[6] Zit. nach Manfred Windfuhr, *Heinrich Heine. Revolution und Reflexion*. Stuttgart 1969. S. 248.

[7] Nur als abstrakte Würdigung und rhetorische Reverenz kann man
zum Beispiel akzeptieren, was Heinrich Mann zu diesen Gedichten
sagt: "Seine Trauer ist kraftvoll, und kein Abschied wurde jemals we-
der ergreifender noch stolzer genommen, als in seinen unvergänglichen
Letzten Gedichten. Er bietet seitdem eines der höchsten Beispiele den
Sterbenden, wie er es den Lebenden bietet." (Heinrich Mann, Heinrich
Heine. In: H. M., *Ausgewählte Werke*. Hrsg. von Alfred Kantorowicz.
Berlin 1954 ff. Bd. 11, S. 460.)

II

In den 'Geständnissen' (1854) schreibt Heine: "... mit mir ist die alte lyrische Schule der Deutschen geschlossen, während zugleich die neue Schule, die moderne deutsche Lyrik, von mir eröffnet ward." (6, 19)

Diese seine eigene Ortsbestimmung gab für die neueren Literarhistoriker den perspektivischen Punkt ab. Im 19. Jahrhundert dominierte entschieden die Zuordnung zur romantischen Lyrik; außerhalb des deutschen Sprachgebiets und außerhalb der Literaturwissenschaft gelten Heines Gedichte noch heute als Ausbund und Inbegriff romantischer Poesie. Im 20. Jahrhundert aber hat man die von einem französischen Zeitgenossen geprägte und von Heine selbst an der zitierten Stelle akzeptierte Formel "romantique défroqué" als gültige Definition seines Orts in der literarischen Evolution vorausgesetzt und zu verifizieren und konkretisieren gewußt. Heines Lyrik erschien als eine Lyrik des Übergangs, eine Lyrik "zwischen Klassik und Moderne" (Walter Höllerer). Ein von Heine selbst vorgeschlagenes Vorverständnis ist leitend geworden.

Einen etwas anders gelagerten Ansatzpunkt ergibt die Frage, was die zeitgenössische Rezeption bei Heine an Erwartungen von Lyrik erfüllt oder unerfüllt fand.[8] Denn bestätigte oder enttäuschte Erwartungen sind Indiz für die herrschende Auffassung vom Wesen und von der Funktion geglückter lyrischer Poesie. Und die Frage nach dem Verhältnis von zeitgenössischem Erwartungshorizont und neuen literarischen Phänomenen ist wichtig für das Problem der Beziehung zwischen Genesis und Geltung, historischer Bedingtheit und geschichtlichem Fortleben literarischer Werke. Dieses Problem ist bei Heines Gedichten so dringlich wie kaum in einem anderen Fall.

Ein früher, anonymer Rezensent[9] hebt 1822 im 'Rheinisch-westfälischen Anzeiger' rühmend die Rückgewinnung einer Ursprünglichkeit, Natürlichkeit, Spontaneität des lyrischen Ausdrucks

---

[8] Vgl. dazu Josef Schnell, *Realitätsbewußtsein und Lyrikstruktur. Heines Lyrik und ihre ästhetischen Voraussetzungen.* Konstanz (Diss.) 1970. S. 8-21.

[9] Zit. nach Adolf Strodtmann, *Heinrich Heines Leben und Werke.* Berlin ²1873. Bd. 1, S. 201-209.

hervor, die in der herrschenden "Konvenienzpoesie" verlorengegangen seien. Heines frühe Lyrik ist für diesen Rezensenten die Rückkehr zu einem Ideal, dem etwa die Gedichte des jungen Goethe, nach seinen anakreontischen Anfängen, nahe kamen. "Wir haben schon viele Dichter, die durch eigenes Beispiel ein solches Zurückgehen zur poetischen Wahrheit vorbereiten. Doch haben sich die meisten nicht entschließen können, die letzte Konvenienzhülle von sich zu werfen; und *dies* hat Heine getan." Das ganze Wesen der Poesie lebe in dieser Lyrik, heißt es, und: "In allen Gedichten Heines herrscht eine reine Objektivität der Darstellung, und in den Gedichten, die aus seiner Subjektivität hervorgehen, gibt er ebenfalls ein bestimmtes, objektives Bild seiner Subjektivität, seiner subjektiven Empfindung." Konkret meint dies: "Er räsoniert und reflektiert nicht mit philosophisch poetischen Worten, sondern er gibt Bilder, die, in ihrer Zusammenstellung ein Ganzes formierend, die tiefsten philosophischen Gedanken erwecken. Seine Gedichte sind Hieroglyphen, die eine Welt von Anschauungen und Gefühlen mit wenigen Zeilen darstellen." Allerdings folgt dann eine gewisse Einschränkung des Lobes durch den bald hundertfältig aufgegriffenen Einwand, man vermisse immer wieder "jenes versöhnende Prinzip, jene Harmonie, worauf selbst die wildesten Leidenschaftsausbrüche berechnet sein sollten".

Hier erscheinen ein Erwartungshorizont und Kriterien, die sich durch das ganze 19. Jahrhundert ziehen. Höchst unterschiedlich fallen indessen die Meinungen aus, ob und inwiefern Heines Lyrik diese Kriterien erfülle oder nicht erfülle. Spottet Ludwig Börne, Heine könne nicht rühren, wenn er weine, denn man wisse, daß er mit seinen Tränen nur seine Nelkenbeete begieße, so behauptet Karl Immermann, wer Einsicht in poetische Dinge habe, könne sich nur darüber freuen, daß dergleichen ungefälschte Natur noch möglich sei. Beispiele dieser gegensätzlichen Beurteilung ließen sich häufen, bis endlich Karl Kraus in 'Heine und die Folgen' (1912) aufs Ganze ging: Heines Lieder seien "nicht der naturnotwendige Ausdruck, sondern das Ornament der großen Schmerzen"; sofern das Gedicht "Offenbarung des im Anschauen der Natur versunkenen Dichters" sein müsse, bleibe Heines Lyrik ein Schandfleck.[10] Und noch Benedetto Croce fragt in 'Poesie und Nichtpoesie' (1925), ob Heine überhaupt ein Dichter sei und nicht

---

[10] Karl Kraus, *Auswahl aus dem Werk* . . . S. 146 ff.

doch bloß ein Artist? Denn Heine sei im Grund immer ein "Spötter", "Spottsucht" aber sei kein "naiver Gemütszustand", keine "gefühlsmäßige, leidenschaftliche Anlage, aus der Poesie doch entspringen" müsse.[11]

Läßt man Hans-Georg Gadamers[12] sprachontologische Prämisse gelten, der zufolge sich der in Sprache einmal vermeinte Sinn in den Rezipienten gewollt oder ungewollt reflektiert, so erscheint es angebracht, gerade die Widersprüche in der Rezeption dieser Gedichte und zwischen Produktion und Rezeption auf einen inneren Zusammenhang zu untersuchen. Folgt man der These Gadamers, so kann es sich bei einer solchen Untersuchung nicht allein um den Erweis handeln, wie sich ein literarisches Kunstwerk in seiner Rezeption gleichsam weiter fortschreibt, zu neuen Aspekten weiterschreitet und dabei bereichert wird; vielmehr sind sämtliche Übereinstimmungen und Widersprüchlichkeiten in Produktion und Rezeption gleichermaßen auf einen gemeinsamen, schon vorhandenen Sinn bezogen — etwa so wie divergierende Meinungen auf ein gemeinsames Thema bezogen sein können.

Was liegt im Fall von Heines Lyrik den Widersprüchen der Rezeption als innerer Zusammenhang zugrunde? Aus allen Zitaten wird er klar: nämlich die Erwartung von Lyrik als Ausdruck der Empfindung, welcher gelingt, wenn er echt, wahr, natürlich, naturnotwendig, ursprünglich, unmittelbar ist. Echte Poesie versagt sich der Reflexion, sie läßt Bildhaftigkeit und Musikalität über die Begrifflichkeit triumphieren. "Von einem [poetischen; W.P.] Kunstwerk will ich, wie vom Leben, unmittelbar und nicht erst durch die Vermittlung des Denkens berührt werden", erklärt Theodor Storm.[13] Von Poesie und vor allem von Lyrik wird Natur verlangt; sie sollen Natur sein, Natur bezeugen, Natur aussprechen. Was ist der historische Kontext solcher Postulate und Erwartungen?

Man muß sich da auf die Polarisierung von Naturpoesie und Kunstpoesie um 1770 zurückbeziehen. Naturpoesie, das war Aus-

---

[11] Benedetto Croce, *Poesie und Nichtpoesie. Bemerkungen über die europäische Literatur des 19. Jahrhunderts*. Deutsch von Julius Schlosser. Zürich-Wien-Leipzig 1925. S. 273-290.

[12] Hans-Georg Gadamer, *Wahrheit und Methode*. Tübingen 1960.

[13] *Storms Werke*. Hrsg. von Theodor Hertel. Leipzig-Wien o. J. (1918). Bd. 6, S. 490.

druck "ursprünglicher", nicht durch die Zivilisations- und Kultur-
prozesse entfremdeter Menschheit. Die Geschichte der Poesie erschien unter solchem Gesichtspunkt als Verfallsgeschichte. Die Re-
pristination der verlorenen Unmittelbarkeit, Natürlichkeit, Ursprünglichkeit finden wir bei Herder, in der Abhandlung über die
Ode: "Auf die Naturdichter folgten die Kunstdichter, und wissenschaftliche Reimer beschließen die Zahl."[14] Das dichterische Gemüt jedoch müsse "sich in das erste Zeitalter versetzen";[15] das Ge-
nie erscheint geradezu als das Vermögen der Ursprünglichkeit im
Denken, Vorstellen und Sagen. Entsprechend heißt es in der Abhandlung über den Ursprung der Sprache: "Und je ursprünglicher
die Sprache, desto weniger Abstraktion, desto mehr Gefühl."[16]
Und, zum Dichter gewandt: "Du mußt den natürlichen Ausdruck
der Empfindung künstlich vorstellen."[17]

Aufgabe der Poesie und wieder vor allem der Lyrik ist, die Natur zu vertreten, zu bewahren, wiederzugewinnen in einer ge-
schichtlich-gesellschaftlichen Situation, die als schlimmer Gegensatz zur Natur, Natürlichkeit, Ursprünglichkeit verstanden wird.
(Das in diesem Zusammenhang aufkommende und von einer gegenwärtigen Literaturideologie so beifällig aufgenommene Interesse an Volksdichtung, Volkslied, Volksballade, Volksbuch bleibt
daher arg ambivalent: es darf nicht nur als Bekenntnis zu "plebe-
jischen" literarischen Bereichen gelten, sondern muß auch als fatales Ausspielen des natürlichen gegen das geschichtliche Leben, des
Rein-Menschlichen gegen den Citoyen verstanden werden.) Die
Poesie und, als deren Inbegriff und reinste Gestalt, die Lyrik bedeuten also ihrem Wesen nach die Aufhebung der Entfremdung,
die als Signatur, als Kainsmal der Zeit begriffen wird. Diese Funktion der Poesie ist im Sturm und Drang, im Klassizismus, in der
Romantik sehr unterschiedlich begründet und postuliert worden,
aber sie bildet doch den gemeinsamen Nenner der Poesie-Auffas-
sungen. Auch noch für die Jungdeutschen; einen lapidaren Beleg
gibt Ludwig Wienbarg in seinen 'Aesthetischen Feldzügen' (1834):

---

[14] *Herders sämmtliche Werke.* Hrsg. von Bernhard Suphan. Berlin
1877-1913. Bd. 32, S. 73.

[15] *Herders sämmtliche Werke . . .* Bd. 32, S. 113.

[16] *Herders sämmtliche Werke . . .* Bd. 5, S. 78.

[17] *Herders sämmtliche Werke . . .* Bd. 1, S. 395.

"Die Poesie ist die Natur, die ursprüngliche Menschheit".[18] Es ist ein Generalnenner, den Willi Oelmüller in bezug auf das Problem des Ästhetischen bei Friedrich Theodor Vischer so formuliert hat: "Im Ästhetischen protestieren ... das Irrationale und Unterbewußte gegen die Qual des Bewußtseins."[19] In solcher Perspektive erscheint Vischers Ästhetik und Theorie der Kunst als "eine weithin symptomatische Reaktion der bürgerlichen Gesellschaft auf ihre Rationalisierung und Versachlichung".[20]

Daß übrigens auch der sogenannte poetische oder bürgerliche Realismus — eben indem er ein poetischer bleiben will — unter anderen Voraussetzungen und mit modifizierter Argumentation diesen Poesiebegriff — Poesie als Aufhebung der Entfremdung, das heißt der Nichtübereinstimmung des Wesens des Menschen mit seiner realen, historisch-gesellschaftlichen Existenz — zum Bezugsrahmen hat, habe ich in verschiedenen größeren und kleineren Studien zur Erzählkunst des 19. Jahrhunderts zu zeigen versucht;[21] darüber hinaus hat soeben Hermann Kinder den Zusammenhang von Realismusverständnis, Poesiebegriff, Geschichtsteleologie und Entfremdungsthese in der deutschen theoretischen Realismusdiskussion um 1850 dargelegt.[22]

Doch zurück: es galt die Erwartungen, die in bezug auf Lyrik gehegt wurden, und deren Zusammenhang mit der Funktionsbestimmung der Poesie zu skizzieren. Denn diese Erwartungen bestimmen die zeitgenössische und für geraume Zeit die späteren Rezeptionen der Heineschen Lyrik im 'Buch der Lieder' und in den

---

[18] Ludwig Wienbarg, *Ästhetische Feldzüge.* Hrsg. von Walter Dietze. Berlin-Weimar 1964. Bd. 1, S. 151.
[19] Willi Oelmüller, Das Problem des Ästhetischen bei Friedrich Theodor Vischer. In: *Jahrbuch der Deutschen Schillergesellschaft* 2, 1959. S. 258.
[20] Willi Oelmüller, Das Problem des Ästhetischen ... S. 248.
[21] Verwiesen sei auf Wolfgang Preisendanz, *Humor als dichterische Einbildungskraft. Studien zur Erzählkunst des poetischen Realismus.* München 1963 (Theorie und Geschichte der Literatur und der schönen Künste 1); ders., Voraussetzungen des poetischen Realismus in der deutschen Erzählkunst des 19. Jahrhunderts. In: *Formkräfte der deutschen Dichtung vom Barock bis zur Gegenwart.* Hrsg. von Hans Steffen. Göttingen ²1967 (Kleine Vandenhoeck-Reihe 169 S). S. 187-210.
[22] Hermann Kinder, *Poesie als Synthese. Realismus-Theorien um 1850.* Frankfurt a. M. 1973.

'*Neuen Gedichten*', und zwar die positive wie die negative Rezeption. Als Beispiel nur zwei unter den zahlreichen widersprüchlichen zeitgenössischen Stimmen, hinter denen doch dieselbe Erwartung von Lyrik steht: Arnold Ruge nennt 1838 die Heinesche Poesie "eine Witz- und Pointenpoesie",[23] Heinrich Laube behauptet dagegen 1840, Heines Vers sei "tief empfunden".[24] Und um 1900 ergibt sich kein anderes Bild: der Herausgeber Ernst Elster rühmt an Heine die "sieghafte Beherrschung aller jener reichen poetischen Darstellungsmittel, die dazu dienen, den Stoff der Erfahrung zu idealisieren",[25] für Karl Kraus handelt es sich um Operettenlyrik, kann nicht von Kristallisation, sondern nur von Verzuckerung der Idee die Rede sein, sind Heines Gedichte bis auf die letzten aus der Matratzengruft "nichts anderes als skandierter Journalismus, der den Leser über seine Stimmungen auf dem Laufenden hält. Heine informiert immer und überdeutlich. Manchmal sagt er es durch die blaue Blume, die nicht auf seinem Beet gewachsen ist, manchmal direkt".[26]

Nach Karl Kraus' einschneidendem Verriß greift, zumal seit Ende des zweiten Weltkrieges, der Versuch einer Vermittlung um sich, der Versuch nämlich, die ruinöse Kritik Kraus' einzubringen in eine Rehabilitation der mit einem Male so diffamierten frühen und mittleren Lyrik. Dabei hat sich ein Aspekt durchgesetzt und gehalten: es besteht nunmehr ziemliche Übereinkunft, diese Lyrik primär als Darstellung, als poetische Darstellung der Entfremdung zwischen modernem Lebensgefühl, modernem Bewußtsein, moderner Gesellschaftserfahrung und tradierter lyrischer Kommunikation zu sehen. Der Rückgriff auf Überkommenes wird, so hat man sich weithin geeinigt, zum Spiegel, in dem sich eine Existenz sieht und zeigt, die sich eigentlich und redlich nicht mehr im Medium überlieferter lyrischer Sprache und Motivik ausdrücken kann. Eine innere Wirklichkeit, psychische und soziale Erfahrungen spiegelten sich bei Heine in einer Sprach- und Motivwelt, der sie sich mehr und mehr entfremdet fühlen. Dazu einige bezeichnende Stimmen:

---

[23] Arnold Ruge, *Sämtliche Werke*. Mannheim 1847. Bd. 3, S. 25.
[24] Heinrich Laube, *Geschichte der deutschen Literatur*. Stuttgart 1840. Bd. 4, S. 252.
[25] Heinrich Heine, *Sämtliche Werke* ... Bd. 1, S. 30.
[26] Karl Kraus, *Ausgewählte Werke* ... S. 145 f.

Georg Lukács ('*Heinrich Heine*', 1952) stützt sich auf Friedrich Engels: "Bei Heine werden die Schwärmereien des Bürgers absichtlich in die Höhe geschraubt, um sie nachher ebenso absichtlich in die Wirklichkeit herabfallen zu lassen." Dies ist für Lukács ein Moment des Kampfes gegen jede erlogene Harmonie, der dichterischen Zerstörung jeder lügenhaften Einheit. Heines Gedichte sind ihm die Darstellung der Suche nach der "Schönheit in der Bewegung der Widersprüche", nach der "Schönheit des bürgerlichen Übergangszeitalters vor der Revolution", nach der "Schönheit des Schmerzes, der Trauer, der Hoffnung, der notwendig entstehenden und notwendig sich zersetzenden Illusion". Aber dabei ergebe sich immer die Gefahr der Manier, die Gefahr, daß ein echtes, tiefes lyrisches Gefühl in eine manierierte Sentimentalität umschlägt. Und eben das Fühlen dieser Gefahr führe zur Aufhebung solcher Sentimentalität durch witzige Pointen, durch Ironie.[27]

Walter Höllerer ('*Heine als ein Beginn*', 1956) erläutert die Ironie als den Gegenzug gegen jene Erlebnissphäre, der sich Heine schmerzlich entfremdet weiß, als die Möglichkeit, "mit den eigensten Mitteln der Romantik bestimmte Erlebnissphären der Romantik zu desillusionieren". Der schockartige Gegenstoß gegen pathetische Gestimmtheit erscheint als Hauptmoment in Heines Gedichten.[28]

Theodor Adorno ('*Die Wunde Heine*', 1958) urteilt zunächst in starker Anlehnung an die kritische Radikalität Karl Kraus': "Heines Gedichte waren prompte Vermittler zwischen der Kunst und der sinnverlassenen Alltäglichkeit." Er verweist auf die "sich selbst überspielende und wiederum sich selbst kritisierende Willfährigkeit seiner Gedichte" und meint: "Nur der verfügt über die Sprache wie ein Instrument, dem sie in Wahrheit fremd ist. Wäre dem nicht so, er trüge die Dialektik zwischen dem eigenen Wort und dem bereits vorgegebenen aus, und das glatte sprachliche Gefüge zerginge ihm. Dem Subjekt aber, das die Sprache wie ein vergriffenes Ding gebraucht, ist sie selber fremd . . . Seine Widerstandslosigkeit gegenüber dem kurrenten Wort ist der nachahmende Eifer des Ausgeschlossenen. Die assimilatorische Sprache ist die

[27] Georg Lukács, Heinrich Heine als nationaler Dichter. In: G. L., *Werke*. Neuwied-Berlin 1964. Bd. 8, S. 273-333.
[28] Walter Höllerer, Heine als ein Beginn. In: *Akzente* 3 (1956). S. 116-129.

von mißlungener Identifikation." Dies alles bedeutet eine versachlichende und präzisierende Weiterführung der Polemik von Kraus. Aber es mündet dann doch gegen Kraus in rehabilitierende Einsichten: Heines Lyrik habe vermocht, "das eigene Ungenügen, die Sprachlosigkeit seiner Sprache, umzuschaffen zum Ausdruck des Bruchs. So groß war die Virtuosität dessen, der die Sprache gleichwie auf einer Klaviatur nachspielte, daß er noch die Unzulänglichkeit seines Wortes zum Medium dessen erhöhte, dem gegeben ward zu sagen, was er leidet". Das Mißlingen schlage um ins Gelungene, und endlich erweise sich die historische, gesellschaftliche Signifikanz und Relevanz dieser Lyrik in ihrer "Anstrengung, Entfremdung selber hineinzuziehen in den nächsten Erfahrungskreis".[29]

Paul Böckmann (*Wandlungen der Ausdruckssprache in der deutschen Lyrik des 19. Jahrhunderts*', 1963) betont ebenfalls, daß Heine "der Lyrik nicht eigentlich eine neue Sprachform gewann, sondern das Eigene nur durch den Widerspruch zur Geltung brachte, durch Witz, Ironie, Parodie die Desillusionierung und Psychologisierung des Stimmungstones ermöglichte". Die romantische Poesie werde auf deren eigenem Boden als Schwärmerei entlarvt, desillusionierende Kontrafaktur erscheine als das bestimmende Darstellungsprinzip.[30]

Georges Schlocker (Nachwort zur Reclam-Gedichtauswahl, 1965) schließlich schreibt: "Das Zerfließende, das Auflösende ist Heines Teil. In der Gesellschaft gewahrte er gleiches: eine Veränderung der politischen und ökonomischen Wirklichkeit, die sein Verstand guthieß, die der Prosaist Heine herbeisehnte, der Verseschreiber jedoch nur mit Schrecken wahrhaben wollte ... Könnte es sein, so fragen wir uns jetzt, daß Heine auch deshalb sein 'liebliches Geläute' anstimmt, um der Starre der Welt, die er schon im ersten Versband gewahrte, zu entfliehen? Ironie und Melancholie gehen dann Hand in Hand. Sie entspringen derselben Wurzel als Doppelblüte. Sie wachsen herauf über der uneingestandenen Leere

---

[29] Theodor W. Adorno, Die Wunde Heine. In: Th. W. A., *Noten zur Literatur* I. Frankfurt a. M. 1958. S. 144-152.

[30] Paul Böckmann, Wandlungen der Ausdruckssprache in der deutschen Lyrik des 19. Jahrhunderts. In: *Langue et Littérature. Actes du VIIIe Congrès de la Fédération des Langues et Littératures Modernes.* Liège 1961 (Les Congrès et Colloques de l' Université de Liège 21). S. 61-82.

der Welt und spiegeln ihr, ironisch oder wehmutsvoll, wie es der Fall will, Beseeltheit vor."[31]

Dies ist der zentrale Aspekt, in dem man einig geht: Bedingung und eigentliches Sujet dieser Lyrik sind Entfremdung und Widersprüchlichkeit, Widersprüchlichkeit aufgrund von Entfremdung. Widerspruch zwischen Phantasie und Verstand, Dichtung und Wissen, Kunstbegriff und modernem Bewußtsein, ideellem Bezugsrahmen und Lebenspraxis, dichterischer und gesellschaftlicher Welterfahrung, poetischer und faktischer Lebenswelt, zwischen poetischem Gedanken und dem ihn relativierenden Hintergedanken, zwischen dem *Als ob* und dem *Alsdann*. Und dies ist der zentrale Zug, der in diesem Aspekt begründet ist und über den man ebenso einhellig ist: Heine, der "romantique défroqué", bringt das Neue, Moderne zum Ausdruck durch die ironische Aneignung und durch die ironische Desavouierung lyrischer Konvention:

Indem er das Gefühl bis zu dem Grad poetisch stilisiert, wo sich dieses Poetische selbst als solches denunziert und auf seinen Kostüm-, seinen Als-ob-Charakter verweisen muß;

indem er die Distanz zwischen menschlichem Fühlen, Verhalten, Kommunizieren im Volkslied (oder in davon abgeleiteten Gedichten) und modernem Fühlen, Sich-Befinden, Verhalten, Kommunizieren ausspielt;

indem er "ein Märchen aus alten Zeiten", "das alte Liedchen", "eine alte Geschichte", ein altes Bild als Spiegel von Bewußtsein, von Erfahrungen, von Beziehungen benutzt, in welchem diese sich doch nicht identifizieren können;

indem er — "Auf Flügeln des Gesanges, / Herzliebchen trag' ich dich fort" — den Fluchtcharakter, das Verdrängungsmoment, den Asylwert lyrischer Dichtung zum Motiv macht;

indem er eine künstliche, imaginäre, gleichsam zur Poesie erstarrte Natur, eine hochsentimentale Naturbeziehung erscheinen läßt und zum Wunsch- oder Gegenbild der subjektiven Befindlichkeit, der Empirie, des prosaischen Bewußtseins macht;

indem er, kurzum, die Entfremdung zwischen dem poetischen und praktischen Bewußtsein ins Gedicht hineinzieht oder thematisiert.

Freilich: ohne Ausklammern und Beiseiteschieben lassen sich das '*Buch der Lieder*' und die '*Neuen Gedichte*' nicht mit diesen Be-

---

[31] Heinrich Heine, *Gedichte*. Auswahl und Nachwort von Georges Schlocker. Stuttgart 1965 (Reclams Universal-Bibliothek). S. 165-174.

funden zur Deckung bringen. In dieser Beziehung ist es nachgerade kurios, mit welcher Beharrlichkeit das 3. Gedicht der 'Heimkehr', das Gedicht "Mein Herz, mein Herz ist traurig" unter Hunderten von einem Interpreten nach dem andern ausersehen wurde, Heines Lyrik paradigmatisch zu repräsentieren. Aber es gibt viele, sehr viele Gedichte ohne Bruch, ohne Zwiespalt, ohne Widerspiel von Ironie und Sentimentalität, ohne ironische Textformanten und -signale, ohne die Suggestion, das Gedicht als ganzes ironisch auf einen textexternen Kontext zu beziehen — es sei denn, man nähme die doch meist erst nachträgliche zyklische Ordnung als einen solchen. Oft genug nimmt sich die pathetisch-sentimentale Sprechweise ihr Recht ohne einen sie ironisierenden Hintergrund; die Versuchung, nach altem Muster die Entfremdung im Gedicht aufzuheben, ist keineswegs abgewiesen, es gibt zahlreiche eindeutige, einstimmige Gedichte ohne jede Vorbehaltlichkeit.

Deshalb bleibt es eine schwierige Frage, ob man die Ironie der Heinelyrik als Abwertung, als Dementi der lyrischen Welt im Gegensatz zur realen auffassen darf, ob es sich bei dieser Ironie um die entschuldigende Zurücknahme poetisch überformter Vorstellungen und also um die Bloßstellung der Idealität poetischer Weltvorstellung handle. So ist es wohl doch nicht, wenn auch die überwiegende Meinung dahin geht. Was in dieser Beziehung ein anonymer Rezensent um 1840 geschrieben hat, erscheint durchaus triftig: "Gerade in dieser Ironie liegt ein Hauptgrund, weshalb sich die Heine'schen Gedichte einen so großen Leserkreis erwarben. Man versteht sie jedoch gewöhnlich falsch, man sieht in Heines Lachen ein bloßes Mephistogelüste, das sich im Zerstören aller Ideale gefällt, ... und die große Menge von flachen, poesielosen Alltagsseelen, sie jubeln dem Dichter am meisten zu und freuen sich, wenn er die ihnen lästigen Ideale mit Füßen tritt ... Gewiß, wer in der Heine'schen Ironie nur ein selbstzufriedenes Lächeln sieht, und das Seelenweh des Dichters über den Verlust aller poetischen Ideale nicht herausfühlt, der hat das innerste Wesen der Heine'schen Dichtung nicht begriffen."[32] Eher ist also zu sagen: das poetische Sprechen zeigt die Idealität einer poetischen Weltvorstellung, realisiert ein nicht an der Lebenspraxis orientiertes Sprech- und Vorstellungsmuster, die Ironie verweist auf die Rea-

---

[32] Zit. nach Adolf Strodtmann, *Heinrich Heines Leben und Werke* ... Bd. 1, S. 517.

lität der Verhältnisse und damit zugleich auf die Unmöglichkeit, die ideale, utopische Welt außerhalb des Gedichts aufrecht zu halten. Die Ironie ist die Kapitulation vor der Wirklichkeit, in der sich die poetischen Vorstellungen nicht halten, in die sie sich nicht übertragen lassen. Dies ist zu betonen wegen des breiten Mißverständnisses und der fatalen späteren Wirkungsgeschichte dieser Lyrik. Denn die unheimliche Beliebtheit des 'Buchs der Lieder' im späteren 19. Jahrhundert erklärt sich nicht nur durch die enorme Zahl und Qualität der Vertonungen. Gewiß, man kannte seinen Heine auch aus dem Konzertsaal, und Heine-Lieder gehörten vorzüglich zum Repertoire der Kunstdarbietungen im geselligen Leben der gebildeten Welt. Aber weit darüber hinaus handelte es sich um eine unmittelbare Beliebtheit aus tiefstem, wenngleich schiefem Einverständnis. Das Sentimentale, Ironische, Pathetische, Frivole wurden nun nicht mehr im ursprünglichen historisch-sozialen Kontext rezipiert. Was das Urpublikum verunsichert und polarisiert hatte, wurde nun nicht mehr in seinem Spannungszustand, in seinem provozierenden bis skandalisierenden Verhältnis zu den literarischen und gesellschaftlichen Konventionen erfaßt. Das anfänglich Irritierende wurde nun durchaus affirmativ genommen: das Sentimentale als Bestätigung des eigenen unstillbaren, aber durchaus verinnerlichten und folgenlosen Bedürfnisses nach dem Höheren, Idealischen, Poetischen, das Ironische als gleichsam augenzwinkernde Bestätigung der eigenen Überzeugung von der denn doch ganz lebensfremden, utopischen Stelle dieses Höheren, Idealischen, Poetischen. Frau Jenny Treibel, in Fontanes gleichnamigem Roman, und ihren Gatten, Herrn Kommerzienrat Treibel, kann man sich gut vorstellen als beispielhafte Verehrer dort des sentimentalen, hier des ironischen Heine.

Noch viel weniger als etwa Wilhelm Busch trifft Heine die Schuld an dem Faktum einer in beiden Fällen fatal einverstandenen Reihe von Lesergenerationen. Darum gilt für Heines frühe und mittlere Lyrik im besonderen Maße der Satz Walter Benjamins: "Unscheinbar, aber echt ist der Konflikt, in dem in einem bestimmten Falle die geschichtlichen Interessen der Überlieferung mit dem Gegenstand liegen, der überliefert wird."[33] Ohne kritische Ausein-

---

[33] Walter Benjamin, Fragment über Methodenfragen einer marxistischen Literatur-Analyse. Hrsg. von Rolf Tiedemann. In: *Kursbuch 20* (1970). S. 2.

andersetzung mit der Rezeptionsgeschichte kann das Verhältnis
von historischer Bedingtheit und geschichtlichem Fortleben des
'Buchs der Lieder', der 'Neuen Gedichte' nicht diskutiert werden.
Ohne kritische Auseinandersetzung mit der Überlieferungsgeschich-
te einschließlich der Reflexion auf die eigenen, bedingten Verständ-
nis- und Urteilsimplikate verbirgt man sich und den andern —
dies zeigt sich an Karl Kraus —, welcher Auffassungstradition man
verhaftet bleibt, welchen Konflikt zwischen Überlieferungsinteresse
und Gegenstand man verdrängt, indem man sich den Zusammenhang des eigenen Widerspruchs mit der Rezeptions- und Wirkungsgeschichte nicht bewußt macht.

III

Alles bisher galt den Gedichten, die den Lyriker Heine in aller
Welt berühmt, schließlich aber auch problematisch gemacht haben,
galt seinen frühen und mittleren Gedichten, dem 'Buch der Lieder'
und den 'Neuen Gedichten'. Aber nichts davon will gelten, will
signifikant oder auch nur profilierend sein für jene Gedichte, von
denen eigentlich die Rede sein soll, nichts scheint vermittelbar zu
sein mit der Lyrik aus der Matratzengruft. Wie ein erratischer
Block mögen diese demjenigen anmuten, der von der Heine-Lyrik
vor 1848 her kommt und der nun die Matratzengruft-Gedichte unter dem Aspekt der poetischen Evolution zu verstehen sucht.

Wohl hat Fritz Strich gemeint, der gesamten Lyrik Heines liege
das eine, einzige Thema des Schmerzes zugrunde, das sich im 'Buch
der Lieder' als Liebesschmerz und als privater Weltschmerz, in den
'Neuen Gedichten' als Leiden an den gesellschaftlichen und politischen Verhältnissen der Gegenwart und schließlich im 'Romanzero' als Klage über die endlosen Leiden der Menschheit manifestiere.[34] Aber eine solche Verbindungslinie bleibt abstrakt, das erweist sich schon durch die Schwierigkeit, die Lyrik vor und nach
1848 unter dem Gesichtspunkt der Rekurrenz und der Innovation
zu betrachten; durch die Schwierigkeit sogar, überhaupt etwas spezifisch Literaturwissenschaftliches oder Literaturhistorisches über

---

[34] Zit. aus dem Nachwort zu Heinrich Heine, *Werke. Erster Band:
Gedichte.* Ausgewählt und herausgegeben von Christoph Siegrist.
Frankfurt a. M. 1969. S. 504.

die Gedichte aus der Matratzengruft auszusagen. "... nicht wahr? das ist schön, entsetzlich schön! Es ist eine Klage wie aus einem Grabe, da schreit ein lebendig Begrabener durch die Nacht, oder gar eine Leiche, oder gar das Grab selbst. Ja, solche Töne hat die deutsche Lyrik noch nie vernommen und hat sie auch nicht vernehmen können, weil noch kein Dichter in solcher Lage war..." Diese von Alfred Meißner[35] überlieferte Behauptung Heines trifft durchaus zu. Denn diese Matratzengruft-Lyrik scheint nicht erläutert werden zu können im Hinblick auf eine Evolution sei es der Heine-, sei es der deutschen, sei es der europäischen Lyrik. Ein Verhältnis von Tradition und Innovation gleich dem in der früheren Lyrik scheint sich kaum abzuzeichnen. Es fehlt dem auf synchronische oder diachronische Bezüge gerichteten Blick des Literarhistorikers der literarhistorische, aber auch der zeit-, sozial- und kulturgeschichtliche Kontext. Man kommt, kurzum, in Verlegenheit, in bezug worauf, im Anschluß woran, im Vergleich womit von diesen Gedichten die Rede sein sollte, sofern man sich nicht nur auf die Inhaltsebene beschränkt. Was über die Matratzengruft-Gedichte zu lesen ist, bleibt denn auch meist eine sehr allgemeine Würdigung oder Betonung des Selbstverständlichen, auf der Hand Liegenden, bleibt Paraphrase dessen, was da steht: daß hier ein langsam und qualvoll Dahinsterbender ausdrückt, daß er leidet, was er leidet, wie er leidet. Kaum in den Griff kommt dagegen die sprachliche, stilistische, textformale Besonderheit dieses Sagens, sein kommunikativer Sinn, oder gar sein literarhistorischer Ort und Index. Denn freilich: vor welcher Folie, in welchem Kontext, welchem Bezugsrahmen außer dem biographischen sind diese Gedichte zu beschreiben und zu verstehen?

Visieren wir eine doch etwas ergiebigere Aussagemöglichkeit an, indem wir von den Versen ausgehen, welche die Gruppe 'Zum Lazarus' in 'Gedichte. 1853 und 1854' einleiten und die in mehreren Beziehungen programmatisch zu nehmen sind:

> Laß die heil'gen Parabolen,
> Laß die frommen Hypothesen —
> Suche die verdammten Fragen
> Ohne Umschweif uns zu lösen.

---

[35] Zit. nach Adolf Strodtmann, *Heinrich Heines Leben und Werke* ... Bd. 2, S. 392.

Warum schleppt sich blutend, elend,
Unter Kreuzlast der Gerechte,
Während glücklich als ein Sieger
Trabt auf hohem Roß der Schlechte?

Woran liegt die Schuld? Ist etwa
Unser Herr nicht ganz allmächtig?
Oder treibt er selbst den Unfug?
Ach, das wäre niederträchtig.

Also fragen wir beständig,
Bis man uns mit einer Handvoll
Erde endlich stopft die Mäuler —
Aber ist das eine Antwort?

(2, 91f.)

Inhaltlich wenden sich diese Verse gegen jede theologische Beschwichtigung des Protests gegen die miserabeln menschlichen Verhältnisse, wenden sie sich auch gegen alle philosophischen Versuche, die Herrschaft der Vernunft über das Sein, den letzthinnigen
Sinn und Fug des Unfugs zu behaupten, wenden sie sich ebenfalls
gegen jeden poetischen Harmonisierungs-, Verklärungs-, Affirmationsanspruch. Verwahrung ist ausgesprochen gegen jede poetische, philosophische, theologische Auflösung oder Versöhnung der
Widersprüche und Ungereimtheiten der menschlichen Dinge, gegen
eine Versöhnung, die — laut Hegel — "nicht in der Wirklichkeit,
sondern in der ideellen Welt" ihre Stätte hat.[36]

---

[36] Heine war gedanklich gewiß in vielem und tief von Hegel geprägt. Wo dieser aber, Gipfel der Vernunftphilosophie, auch noch das
Widerspenstigste als notwendiges und sinnhaftes Moment im Prozeß
des Weltgeistes begreifen wollte, tat Heine nicht mit. Bereits ein paar
Verse aus der *Heimkehr* sprechen bündig aus, was er von der philosophischen Systemarchitektur und damit doch wohl auch von der geschichtsphilosophischen Konstruktion gehalten hat:

Zu fragmentarisch sind Welt und Leben —
Ich will mich zum deutschen Professor begeben.
Der weiß das Leben zusammenzusetzen,
Und er macht ein verständlich System daraus;
Mit seinen Nachtmützen und Schlafrockfetzen
Stopft er die Lücken des Weltenbaus.

(1, 121)

Die Verse werfen aber auch Licht auf Sprache und Thematik der Gedichte aus der Matratzengruft. Diese sind in keiner Weise Wiederkehr des Verdrängten, Schlimmen in sublimierter Gestalt. "In der Phantasie genießt der Mensch die Freiheit von äußerem Zwang weiter, auf die er in Wirklichkeit längst verzichtet hat", das seelische Reich der Phantasie sei eine dem Realitätsprinzip entzogene "Schonung", lesen wir bei Sigmund Freud,[37] und Herbert Marcuse hat dies aufgegriffen: "Art is perhaps the most visible return of the repressed".[38] Aber eben solchen Auffassungskategorien entziehen sich die Gedichte des *Livre de Lazare* durchaus.

Ihre Thematik ist reduziert auf das eigene Leiden, Dahinsiechen, Absterben, auf das Leiden, Sich-Quälen, Sterben in der Geschichte. Kein allgemein-verbindliches, symbolisches, stellvertretendes lyrisches Ich, kein Ausdruck repräsentativer, allgemeingültiger Subjektivität ist Instanz der sprachlichen Kommunikation. Aber diese fast absolute Privatheit des Erlebens persönlicher Zustände, des Sich-Spiegelns im geschichtlichen "Unfug" ist Komplement der Intention, die eigene und die historische Misere als factum brutum, ohne Schleier der Idealität oder Sublimation, ohne jedes transzendierende Moment zur Sprache zu bringen. Keinerlei Todesmetaphysik tritt in Erscheinung, keinerlei Geschichtsteleologie, kein Versuch, dem factum brutum einen höheren Sinn abzugewinnen oder zu verleihen, es zum Medium transzendierender Erfahrungen zu machen. Perfekt ist die Verweigerung jeglicher Verklärung, Harmonisierung, Sublimierung, Idealisierung von Krankheit, Leiden, Quälerei, Sterben. Nach Inhalt und Ausdruck sind die Gedichte des *Livre de Lazare* Darstellung dieser Verweigerung, dieses Dementis poetischer Todesvorstellungen und -auffassungen. Das bestätigt sich wohl schon intuitiv, wenn wir Rilkes *Letzte Verse*, im Monat seines Todes durch Leukämie unter den gräßlichsten Schmerzen verfaßt, einem der Lazarus-Gedichte Heines gegenüberstellen:

Letzte Verse · (Val-Mont, Dezember 1926)

Komm du, du letzter, den ich anerkenne,
heilloser Schmerz im leiblichen Geweb:

[37] Sigmund Freud, *Gesammelte Werke.* London 1940 ff. Bd. 9, S. 387.
[38] Herbert Marcuse, *Eros and Civilisation A Philosophical Inquiry into Freud.* London 1944. S. 144.

wie ich im Geiste brannte, sieh, ich brenne
in dir, das Holz hat lange widerstrebt,
der Flamme, die du loderst, zuzustimmen,
nun aber nähr' ich dich und brenn in dir.
Mein hiesig Mildsein wird in deinem Grimmen
ein Grimm der Hölle nicht von hier.
Ganz rein, ganz planlos frei von Zukunft stieg
ich auf des Leidens wirren Scheiterhaufen,
so sicher nirgend Künftiges zu kaufen
um dieses Herz, darin der Vorrat schwieg.
Bin ich es noch, der da unkenntlich brennt?
Erinnerungen reiß ich nicht herein.
O Leben, Leben: Draußensein.
Und ich in Lohe. Niemand, der mich kennt . . .

✱

Stunden, Tage, Ewigkeiten
Sind es, die wie Schnecken gleiten;
Diese grauen Riesenschnecken
Ihre Hörner weit ausrecken.

Manchmal in der öden Leere,
Manchmal in dem Nebelmeere
Strahlt ein Licht, das süß und golden
Wie die Augen meiner Holden.

Doch im selben Nu zerstäubet
Diese Wonne, und mir bleibet
Das Bewußtsein nur das schwere
Meiner schrecklichen Misere.

(2, 101)

Denselben stilistisch (d. h. in rhythmisch-melodischer wie in lexi-
kalisch-semantischer Beziehung) 'herabsetzenden' Effekt nehmen
wir wahr, wenn wir Hölderlins Ode 'An die Parzen' neben Heines,
einleitend zitiertes, "Am Kreuzweg sitzen drei Frauen" stellen. Zynismus ist hier als eine Form der Redlichkeit zu verstehen: als Aus-
schaltung aller entlastenden, erhebenden, verklärenden Vorstellungen oder Sinngebungen, aller poetischen oder ideellen Überfor-
mungen. So ist die Sprache durchweg bestimmt vom Widerstand
gegen den Kothurn, gegen die Überhöhung des Leidens, die Rechtfertigung oder Metaphysik bedeuten könnte. Das Elend —"O Gott!
Wie häßlich bitter ist das Sterben!" (2, 89) — desavouiert alle Tra-

gik, verquickt sich mit Komik, aber das Komische bleibt aller Heiterkeit fern, bleibt ohnmächtiges Komplement der Verzweiflung.

Und zu alldem tritt das Paradox, daß das Trist-Prosaische, das Makaber-Banale des Sujet durch die poetische, die Gedichtform erst hervorgetrieben wird, dadurch, daß in einer — im Kontext der Konvention — sich selbst dementierenden lyrischen Sprache gesprochen wird, daß der lyrische Ausdruck durch all seine Elemente — Reim, Metrum, Rhythmus, Intonation, Lexik, Metaphorik, Bildlichkeit — sich selbst negiert und dadurch das Gesagte als etwas im Grunde der Lyrik Entzogenes, Fremdes, Versagtes erweist. In Relation zur Erwartung der Leser, zu den für Sprache und Sujet lyrischer Poesie geltenden Normen und Konventionen läßt sich die Matratzengruft-Lyrik als ein System der Absagen, Verzichte, Distanzierungen definieren. Insofern wäre eine inventarisierende Analyse und Beschreibung der Inhalts- und Ausdrucksform dieser Gedichte abwegig ohne den Gesichtspunkt der Relation, in welcher sie zum Kontext und Hintergrund der dem Leser vertrauten und maßgebenden Lyrik stehen; abwegig wäre eine Textanalyse, die nicht davon ausginge, in welcher Relation zur umgebenden Lyrik diese Gedichte vom Leser rezipiert wurden bzw. rezipiert werden sollten. Paradoxerweise macht es hier gerade die Verwendung der Gedichtform unmöglich, die Darstellung des Schlimmen, die Darstellung von Misere und Agonie als Aussage und Ausdruck "dichterischer Welterfahrung" zu genießen:

Ich seh' im Stundenglase schon
Den kargen Sand zerrinnen.
Mein Weib, du engelsüße Person!
Mich reißt der Tod von hinnen.

Er reißt mich aus deinem Arm, mein Weib,
Da hilft kein Widerstehen,
Er reißt die Seele aus dem Leib —
Sie will vor Angst vergehen.

Er jagt sie aus dem alten Haus,
Wo sie so gerne bliebe.
Sie zittert und flattert — Wo soll ich hinaus?
Ihr ist wie dem Floh im Siebe.

Das kann ich nicht ändern, so sehr ich mich sträub',
Wie sehr ich mich winde und wende;

Der Mann und das Weib, die Seel' und der Leib,
Sie müssen sich trennen am Ende.

(2, 41)

Ob 'Historien', ob 'Lamentationen' — die persönliche und die historische Wirklichkeit erscheinen in völliger Negativität, aber auch, und dies ist ein besonders auffälliger Zug, als eine, in der sich Elend und Komik ständig und überall überlagern: "Meine geistige Aufregung ist vielmehr Produkt der Krankheit als des Genius ... Rasend vor Schmerzen, wirft sich mein armer Kopf hin und her in den schrecklichen Nächten, und die Glöckchen der alten Kappe klingeln alsbald mit unbarmherziger Lustigkeit." So sagt es Heine selbst im Brief an Campe vom 12. 8. 1852.

Markieren wir hier den Unterschied: In der früheren Lyrik herrscht weithin die Gegenbildlichkeit von lyrischer Welterfahrung und faktischer innerer Wirklichkeit, ist die lyrische Sprache trotz aller Ironie gegenbildlich zu der Empirie, welche mittels Ironie als das Substrat der poetischen inneren Wirklichkeit transparent gemacht wird. In den Gedichten aus der Matratzengruft besteht kein derartiges Basis-Überbau-Verhältnis, kein solches Auseinandertreten von poetischer Überformung und empirischem Substrat mehr. An die Stelle der Ironie tritt ein alles andere als versöhnender, apologetischer, affirmativer, tritt ein makabrer Humor. Der Spannungszustand, der diese Gedichte kennzeichnet, ist eine durchaus eigentümliche Verbindung von Humor und Pathos, ergibt sich durch die Fusion von Humor und Pathos:

Babylonische Sorgen

Mich ruft der Tod — Ich wollt', o Süße,
Daß ich dich in einem Wald verließe,
In einem jener Tannenforsten,
Wo Wölfe heulen, Geier horsten
Und schrecklich grunzt die wilde Sau,
Des blonden Ebers Ehefrau.

Mich ruft der Tod — Es wär' noch besser,
Müßt' ich auf hohem Seegewässer
Verlassen dich, mein Weib, mein Kind,
Wenngleich der tolle Nordpolwind
Dort peitscht die Wellen, und aus den Tiefen
Die Ungetüme, die dort schliefen,
Haifisch' und Krokodile, kommen

Mit offnem Rachen emporgeschwommen —
Glaub mir, mein Kind, mein Weib, Mathilde,
Nicht so gefährlich ist das wilde,
Erzürnte Meer und der trotzige Wald,
Als unser jetziger Aufenthalt!
Wie schrecklich auch der Wolf und der Geier,
Haifische und sonstige Meerungeheuer:
Viel grimmere, schlimmere Bestien enthält
Paris, die leuchtende Hauptstadt der Welt,
Das singende, springende, schöne Paris,
Die Hölle der Engel, der Teufel Paradies —
Daß ich dich hier verlassen soll,
Das macht mich verrückt, das macht mich toll!

Mit spöttischem Sumsen mein Bett umschwirrn
Die schwarzen Fliegen; auf Nas' und Stirn
Setzen sie sich — fatales Gelichter!
Etwelche haben wie Menschengesichter,
Auch Elefantenrüssel daran,
Wie Gott Ganesa in Hindostan. —
In meinem Hirne rumort es und knackt,
Ich glaube, da wird ein Koffer gepackt,
Und mein Verstand reist ab — o wehe! —
Noch früher, als ich selber gehe.

(2, 43f.)

Von Humor sprechen erlaubt Heine selbst; er selbst hat ausdrücklich beansprucht, in seinen Lamentationen Humorist zu sein; etwa in dem ein wenig weiter oben zitierten Brief an Campe. Oder im Nachwort zum 'Romanzero' 1851: "Aber existiere ich wirklich noch? Mein Leib ist so sehr in die Krümpe gegangen, daß schier nichts übriggeblieben als die Stimme, und mein Bett mahnt mich an das tönende Grab des Zauberers Merlinus, welches sich im Walde Brozeliand in der Bretagne befindet, unter hohen Eichen, deren Wipfel wie grüne Flammen gen Himmel lodern. Ach, um diese Bäume und ihr frisches Wehen beneide ich dich, Kollege Merlinus, denn kein grünes Blatt rauscht herein in meine Matratzengruft zu Paris, wo ich früh und spat nur Wagengerassel, Gehämmer, Gekeife und Klaviergeklimper vernehme. Ein Grab ohne Ruhe, der Tod ohne die Privilegien der Verstorbenen, die kein Geld auszugeben und keine Briefe oder gar Bücher zu schreiben brauchen — das ist ein trauriger Zustand. Man hat mir längst das Maß genommen zum Sarg, auch zum Nekrolog, aber ich sterbe so langsam, daß solches nachgerade langweilig wird für mich, wie für meine Freunde. Doch Geduld, alles hat sein Ende. Ihr werdet eines Morgens die Bude geschlossen finden, wo Euch die Puppenspiele meines Humors so oft ergötzten." (1, 483f.) Oder in dem Gedicht 'Miserere', das anfangs den Neid des "lebenden Leichnams" auf die "Söhne des Glücks" ausdrückt, denen ein "schmerzlos rasches Verscheiden" gegönnt ist, und welches mit den Versen endet: "O miserere! Verloren geht / Der beste der Humoristen!" (2, 89f.) Gerade im Hinblick auf das Substrat dieses Humors — Siechtum, Schmerzen, langanhaltende Agonie — drängt sich nun zunächst eine ganz außerliterarische, scheinbar höchst plausible Deutung solchen Humors auf, nämlich die Sigmund Freuds.

Für Freuds psychologisches und schließlich metapsychologisches Verständnis[39] ist der als eine der höchsten psychischen Leistungen ausgezeichnete Humor "ein Mittel, um die Lust trotz der sie störenden peinlichen Affekte zu gewinnen", er wird näher erläutert als einer jener Abwehrvorgänge, in welchen Freud die psychischen Korrelate des Fluchtreflexes sieht und die bezwecken, aus inneren Quellen die Entstehung von Unlust zu verhüten. Als der höchststehende dieser Abwehrvorgänge gilt der Humor deshalb, weil er es verschmäht, "den mit dem peinlichen Affekt verknüpften Vorstellungsinhalt der Aufmerksamkeit zu entziehen, wie es die Verdrängung tut". Vielmehr setzt sich der Humor an die Stelle der Affektentwicklung, er entzieht der anstehenden Unlustentbindung ihre Energie und verwandelt diese Energie durch Abfuhr in Lust. Das Wesen des Humors besteht für Freud demnach darin, daß man sich die Affekte — Ärger, Schmerz, Mitleid, Rührung, Gram usw. — erspart, zu denen die Situation Anlaß gäbe, daß man sich vermittels der humoristischen Einstellung über die Möglichkeit solcher Gefühlsäußerungen hinweg setzt. In solcher Sicht bedeutet der Humor nicht nur den Triumph des Ichs, sondern auch den des Lustprinzips, das sich hier gegen die Ungunst der realen Verhältnisse durchsetzt und behauptet. Dieser Triumph des Ichs, des Lustprinzips, diese siegreich behauptete Unverletzlichkeit des Ichs ist für Freud zugleich ein Triumph des Narzißmus: "Das Ich verweigert es, sich durch die Veranlassungen aus der Realität krän-

---

[39] Sigmund Freud, Der Witz und seine Beziehung zum Unbewußten. In: S. F., *Gesammelte Werke* . . . Bd. 6, S. 286ff.; ders., Der Humor. In: S. F., *Gesammelte Werke* . . . Bd. 14, S. 383-389.

ken, zum Leiden nötigen zu lassen, es beharrt dabei, daß ihm die Traumen der Außenwelt nicht nahe gehen können, ja es zeigt, daß sie ihm nur Anlässe zu Lustgewinn sind." Und dies drängt Freud zur Annahme, die humoristische Einstellung bestehe darin, daß die Person des Humoristen den psychischen Akzent von ihrem Ich auf ihr Über-Ich verlagert hat: "Diesem so geschwellten Über-Ich kann nun das Ich winzig klein erscheinen, alle seine Interessen geringfügig, und es mag dem Über-Ich bei dieser neuen Energieverteilung leicht werden, die Reaktionsmöglichkeiten des Ichs zu unterdrücken." In metapsychologischer Vorstellung ist also letztlich das Über-Ich die Instanz, die im Humor "so liebevoll tröstlich" zum Ich spricht und dieses sich seiner Leidensmöglichkeiten erwehren läßt.

Diese Humor-Theorie scheint plausibel auszusprechen, was in der Matratzengruft-Lyrik vorliegt, sie scheint eine bestechende Möglichkeit zu bieten, das Verhältnis von Genesis, Inhalts- und Ausdrucksebene zu erfassen. Indessen: Freuds Überlegungen gehen auf einen Humor, der sich mit Heines späten Gedichten schwerlich zusammenbringen läßt: auf einen letztlich doch "einverstandenen", "versöhnlichen", "beschwichtigenden", "tröstlichen" Humor; auf einen Humor, kraft dessen sich die Subjektivität aus der Negativität auf sich selbst zurückzieht. Aber eben einen solchen einverstandenen, einwilligenden, überwindenden Humor schneidet Heines "unbarmherzige Lustigkeit", seine desperate, unversöhnliche Vermittlung von pathetischem Inhalt und humoristischem Ausdruck ab. Für die Gedichte aus der Matratzengruft läßt sich nicht mit Freud sagen, "daß das Über-Ich, wenn es die humoristische Einstellung herbeiführt, eigentlich die Realität abweist und einer Illusion dient". Dieser Humor macht reines Pathos, reine Tragik, reine Klage zunichte, weil damit eine positive Kompensation der Negativität zum Ausdruck käme, mit welcher die Nichtigkeit des Anspruchs auf Beantwortung der "verdammten Fragen" nach dem Sinn des Leidens, des Schlimmen, des "Unfugs" überspielt wäre. Die 'Komisierung' des Elends in diesen Gedichten ist unverkennbar in der Weigerung begründet, die "schreckliche Misere" in all ihren Dimensionen unter den Gesichtspunkt einer Auslegung zu bringen, in die Perspektive eines Sinnes zu rücken.

Humor hat im Leben, hat psychisch und sozial die Funktion, die Anpassung an emotional schwierige Lagen zu erleichtern, zu gewähren; er ist eine unter anderen, mehr privaten oder mehr institutionellen, funktional äquivalenten Möglichkeiten solcher emotionalen Stabilisierung. Aber Humor muß hier wie überall, wo er sich literarisch manifestiert, als ein Kommunikationsmodell, als Auffassungs- und Mitteilungsprinzip gesehen werden, als eine Form künstlerisch organisierenden und beleuchtenden Lachens, als "eine bestimmte, jedoch nicht in die Logik übersetzbare ästhetische Einstellung zur Wirklichkeit, eine bestimmte Weise, die Wirklichkeit künstlerisch zu sehen, zu erschließen, folglich auch eine Weise, die Kunstgestalt, das Sujet, die Gattung aufzubauen" (Michail Bachtin).[40] Es kann also nicht darauf ankommen, die Verquickung von Pathos und Komik, von Lamentation und Lachen in diesen Gedichten psychologisch zu erklären. Zu erfassen ist vielmehr die Funktion des Humors im Zuge jener Darstellung von Wirklichkeit, welche im Gefolge von Klassik und Romantik der lyrischen Kommunikation überantwortet wurde; zu erörtern ist das Verhältnis des Humors zu jener 'inneren Wirklichkeit', welche die Lyrik auf ihre Weise darzustellen sucht.

Ich sagte bereits, daß die Gedichte aus der Matratzengruft in literarhistorischer Hinsicht auf den ersten Blick wie ein erratischer Block anmuten mögen, daß man den Eindruck gewinnen kann, sie seien nur lebens- oder vielleicht auch werkgeschichtlich zu erläutern, kaum aber in eine literarhistorische Perspektive zu rücken und im Bezugsrahmen der literarischen Evolution zu verstehen. Läßt man sich aber von unserem letzten Gesichtspunkt — von der Frage nach dem Verhältnis von Humor und in den Kompetenzbereich der Lyrik fallender Darstellung innerer Wirklichkeit — leiten, so taucht nun doch eine Möglichkeit auf, die Gedichte aus der Matratzengruft in einem literarhistorischen Kontext zu erfassen.

Allerdings wird man sich dabei nicht an der Humor-Theorie orientieren dürfen, die sich in England, später in Deutschland zwischen dem 17. und 19. Jahrhundert herausgebildet und im frühen 19. Jahrhundert mit Jean Paul und mit der englischen Jean-Paul-Rezeption durch Hazlitt, Coleridge und Carlyle ihren Gipfel erreicht hat.[41] Vielmehr erscheint es möglich, die für ein 'Buch Laza-

---

[40] Michail Bachtin, *Literatur und Karneval. Zur Romantheorie und Lachkultur*. München 1969. S. 66.

[41] Vgl. Stuart M. Tave, *The Amiable Humorist. A Study in the Comic Theory and Criticism of the Eighteenth and Early Nineteenth Centuries*. Chicago-London 1960.

rus' bestimmten Gedichte literarhistorisch zu profilieren, wenn man sie in inhaltlicher und stilistischer Hinsicht auf den Begriff des Grotesken zurückbezieht, den Victor Hugo in unmittelbarem Zusammenhang mit der Frage verwendet hat, wie die moderne Dichtung das Wirkliche als ihren eigentlichen, wesentlichen Vorwurf und Signifikanzbereich erfassen könne; auf jenen Begriff des Grotesken also, der eine wichtige Stelle in der in Frankreich um 1830 einsetzenden Diskussion des literarischen Realismus hat. Das Groteske, 1827 von Hugo im *'Préface de Cromwell'*[42] zur zentralen Kategorie erhoben, hat hier nicht den Sinn, daß etwas in seinem Erscheinungsbild skurril, bizarr, phantastisch-verzerrt, gestaltenmischend oder gestaltsprengend und dadurch lächerlich bzw. komisch wirkt, auch nicht den Sinn, den Wolfgang Kayser[43] statuiert, indem er das Groteske als das abgründig und unheimlich den ordnenden Kategorien der Vernunft Entzogene definiert, als entfremdete Welt, als Gestaltung des Es, als Spiel mit dem Absurden, als Versuch, das Dämonische in der Welt zu beschwören und zu bannen. Vielmehr ist das Groteske für Hugo der Aspekt der Wirklichkeit, der dort verdrängt bleibt, wo das Häßliche, Krude, Nichtige, "le difforme et l'horrible" ebenso wie "le comique et le bouffon" als das bloße Gegenbild des Schönen und Guten genommen werden und nicht als selbständige Realität. Das Groteske ist der Gegenpol des Erhabenen, und weil alle natürliche und geschichtliche Wirklichkeit in der Spannung von Erhabenem und Groteskem steht, ist das Groteske unabdingbar, wenn es um die Erfassung und Darstellung des Wirklichen in seiner intensiven Vollständigkeit, in der Totalität seiner Aspekte geht. Es liegt auf der Hand, daß dieser Begriff des Grotesken seine Fundierung nicht so sehr in der Begriffsgeschichte hat als in der Forderung, eine komplettere, "wirklichere" Wirklichkeit darzustellen, als die verklärende, idealisierende, aspekte-trennende, einseitig im Schönen, Erhabenen, Tragischen oder im Widrigen, Gemeinen, Komischen verbleibende Kunst der klassischen Tradition.

Unter den Beispielen von "mélange du sublime et du grotesque" führt Hugo den berühmten Ausspruch an, den Napoleon auf der Flucht aus dem russischen Debakel zu seinem Warschauer Gesand-

---

[42] Victor Hugo, *Oeuvres*. Bruxelles 1842. Bd. 2, S. 7-28; hier S. 10-13.
[43] Wolfgang Kayser, *Das Groteske in Malerei und Dichtung*. Hamburg 1960 (rde 107). S. 137ff.

ten de Pradt getan haben soll: "Du sublime au ridicule il n'y a qu'un pas!" Und eben dieses Wort hatte Heine ein Jahr vor dem *'Préface de Cromwell'* dem elften, zentralen Kapitel von *'Ideen. Das Buch Le Grand'* (3, 166f.) als Motto vorangestellt. Es wird hier zum perspektivischen Punkt einer Betrachtung, welche die durchgängige "Verbindung des Pathetischen mit dem Komischen" als Grundzug sowohl der großen dramatischen Werke wie der Vorgänge auf der "Weltbühne" wie der eigenen Lebensszenen vergegenwärtigt. Von dem Napoleon-Wort ausgehend entfaltet das Kapitel, was Heine bereits in einem Brief vom 12. 10. 1825 an Friederike Robert ausgesprochen hatte: So wie die großen Poeten "das Ungeheuerste, das Entsetzlichste, das Schaudervollste ... nur in dem buntscheckigen Gewande des Lächerlichen" dargestellt hätten, so habe "auch der noch größere Poet ... allen Schreckensszenen des Lebens eine gute Dosis Spaßhaftigkeit beigemischt". Es liegt auf der Hand, in welchem Punkt sich Hugo und Heine unerachtet aller Differenzen treffen: darin nämlich, daß die Vermischtheit von Sublimem und Groteskem wie die Verbindung des Pathetischen mit dem Komischen als Grundmuster des Wirklichen anvisiert und als Vorwurf poetischer Darstellung proklamiert werden. Ohne gegenseitige Kenntnis, aber fast im selben Zeitpunkt geht der Anspruch auf eine Poesie, die den Zwiespälten, Widersprüchen, Ungereimtheiten des Wirklichen entsprechen sollte, eine Poesie, die durch ihre Offenheit für die Verschränkung des Erhabenen und des Grotesken, des Pathetischen und des Komischen die Grenzen einer auf Schönheit und Idealität ausgerichteten Ästhetik sprengen müsse.[44]

Es kann hier nicht zeigend nachgewiesen, nur behauptet werden, daß die Verbindung des Pathetischen mit dem Komischen in der Tat als ein Grundmuster alles durchzieht, was Heine geschaffen

---

[44] Vgl. zu diesem Komplex Hans Robert Jauss, Das Ende der Kunstperiode — Aspekte der literarischen Revolution bei Heine, Hugo und Stendhal. In: H.R.J., *Literaturgeschichte als Provokation.* Frankfurt a.M. 1970 (edition suhrkamp 418). S. 107-143; besonders S. 114-127. — Dem dort am Ende erwähnten interdisziplinären Kurs des Fachbereichs Literaturwissenschaft der Universität Konstanz über "Das Ende der Kunstperiode — Europäische Literatur zwischen 1830 und 1848", der im Studienjahr 1967/68 von Hans Robert Jauss, Jurij Striedter und mir veranstaltet wurde, bleibt auch der vorliegende Beitrag dankbar verpflichtet.

hat, nicht zuletzt seine Lyrik. Insofern könnte man Fritz Strichs These vom einen, einzigen Thema des Schmerzes entgegenhalten, daß genauer das in alles Pathos sich einschleichende Komische, das neben oder hinter allem Erhabenen lauernde Lächerliche Inhaltsform, Ausdrucksform und zyklische Komposition dieser Lyrik charakterisiere. Für die zum *'Buch Lazarus'* zu zählenden Gedichte sollte dies deutlich geworden sein. Aber auch alle gegen Ende des zweiten Abschnitts aufgeführten Verfahren des "romantique défroqué", das Spannungsverhältnis zwischen seiner Poesie und einem "Bewußtsein, das in seiner Poesie nicht enthalten ist" (Max Frisch)[45] zu gestalten, darf in diesem Licht gesehen werden. Im Komischen gehe es darum, "die Identität eines Entgegenstehenden und Ausgegrenzten mit dem Ausgrenzenden herzustellen"; sofern es zum Wesen des positiv das Dasein Bestimmenden gehöre, die eine Hälfte der Lebenswelt nur in der Form des Entgegenstehenden und Nichtigen existieren zu lassen, komme dem Komischen die Funktion zu, die dem Ernst nicht zugängliche Zugehörigkeit des Anderen zu der es ausgrenzenden Lebenswirklichkeit sichtbar zu machen: "Das Nichtige steht so selbst in einem für den Ernst nicht faßbaren oder nur negativ faßbaren geheimen Zusammenhang mit der für den Ernst gesetzten Lebensordnung. Es gehört zu ihr dazu, aber so, daß der Ernst, der es ausgrenzt, es immer nur als das Ausgegrenzte und Andere, das für ihn selbst im Hintergrund bleiben muß, fassen kann ... Was mit dem Lachen ausgespielt und ergriffen wird, ist diese geheime Zugehörigkeit des Nichtigen zum Dasein; sie wird ergriffen und ausgespielt, nicht in der Weise des ausgrenzenden Ernstes, der es nur als das Nichtige von sich weghalten kann, sondern so, daß es in der ausgrenzenden Ordnung selbst als gleichsam zu ihr gehörig sichtbar und lautbar wird." Dies sind einige der Kerngedanken aus Joachim Ritters kapitaler philosophischer Studie *'Über das Lachen'*.[46] Man kann freilich fragen, ob Ritters Theorie in Wendungen wie die vom "geheimen Zusammenhang mit der für den Ernst gesetzten Lebensordnung" nicht doch mehr an Versöhnendem, an Harmonievorstellungen enthalte, als für Heine zutreffen kann. Dennoch sollte einleuchten, wie exakt seine Bestimmungen — nimmt man sie als funktionales Mo-

[45] Max Frisch, *Tagebuch 1946-1949*. Frankfurt a. M. 1950. S. 222.
[46] Joachim Ritter, Über das Lachen. In: *Blätter für Deutsche Philosophie* 14 (1941). S. 1-21.

dell und läßt man das Problem der vielleicht doch noch idealistischen Prämissen beiseite — den eigentlichen Sinn der Verbindung des Pathetischen mit dem Komischen in Heines früherer wie vor allem letzter Lyrik treffen und wie gut sie den Zusammenhang dieser Lyrik mit der Wende zum Realismus zu erhellen vermögen.

Allerdings mag nun der — sowieso bis zum Ruin umstrittene — Begriff des Realismus in bezug auf Lyrik vollends unsinnig erscheinen. Vielleicht hat Käte Hamburger[47] in ihrer rigiden dichtungslogischen Unterscheidung zwischen Fiktion und Wirklichkeitsaussage, zwischen der fiktiven oder mimetischen Gattung, der epischen und dramatischen Fiktion einerseits, der lyrischen Gattung und der Ich-Erzählung andererseits, einen Erklärungsgrund geliefert, warum in die seit anderthalb Jahrhunderten andauernde Realismus-Diskussion kaum einmal systematisch das Problem eines lyrischen Realismus einbezogen wurde; warum also auch nicht systematisch gefragt wurde, ob und inwiefern die der Lyrik zuerkannte Darstellung der inneren Wirklichkeit seit dem 19. Jahrhundert in einem polaren Bezug oder dialektischen Verhältnis zur Wirklichkeitsdarstellung im Roman und im Drama stehe. Wie dem auch sei (denn hier kann diese Frage natürlich nicht aufgegriffen werden): Geht man davon aus, daß ein rezeptionsgeschichtlich unvermittelter Begriff des Realistischen wenig taugt,[48] d. h. daß das Etikett des Realismus zunächst nichts über die Beschaffenheit der im Werk verfolgten Intentionen und praktizierten Verfahren, sondern nur über deren Wirkung auf den Rezipienten besagt, so verbinden sich in der gängigen, schlichten, 'naiven' Realismus-Vorstellung, die ja noch immer der Literatur des 19. Jahrhunderts verhaftet ist, einige Momente, die auch Heines Gedichte aus der Matratzengruft wesentlich charakterisieren und durch welche diese Gedichte doch wiederum deutlich von den früheren, vor 1848, abstechen; so deutlich abstechen, daß nochmals einsichtig werden kann, warum der Zusammenhang zwischen den früheren und den

---

[47] Käte Hamburger, *Die Logik der Dichtung*. Stuttgart ²1968.

[48] Vgl. zur Problematik des literarischen Realismus-Begriffs: Harry Levin (Hrsg.), A Symposion on Realism. In: *Comparative Literature* 3 (1951). S. 193-285; René Wellek, The Concept of Realism in Literary Scholarship. In: R.W., *Concepts of Criticism*. New Haven 1963. S. 222-255; Wolfgang Preisendanz, Das Problem der Realität in der Literatur. In: *Bogawus* 9 (1968). S. 3-9; Hermann Kinder, *Poesie als Synthese* . . . S. 7-24.

letzten Gedichten nicht unter dem Gesichtspunkt einer immanenten Evolution erfaßt werden kann. Solche Momente des Realistischen sind nach gängiger Vorstellung vor allem:

1) Die Abkehr von Sujets, die einen elitären, auszeichnenden Status der inneren Wirklichkeit voraussetzen; der Verzicht auf Motive, die in einer privilegierten, von der durchschnittlichen Erfahrung abweichenden, speziell poetischen Welterfahrung gründen; die Preisgabe der Aureole auch im Lyrischen. Man kann das den Entschluß zum Profanen nennen, im Anschluß an Brechts Bemerkung, sofort nach Goethe sei die Entwicklung der Lyrik in zwei getrennte Linien zerfallen: in die völlig profane bei Heine, in die völlig pontifikale bei Hölderlin.[49]

2) Die Verminderung oder Aufhebung der Differenz zwischen poetischem und umgangssprachlichem Ausdruck; die bis zur Schwundstufe gehende Reduktion der sogenannten poetischen Sekundärstrukturen des Sprechens. Man kann das als Prosaierung bezeichnen.

3) Der Verzicht, die Subjektivität als überhistorische zu behandeln, die Preisgabe des Anspruchs auf Darstellung einer metahistorischen inneren Wirklichkeit; also die Bereitschaft, die historische Bedingtheit und Situiertheit von Sprache und Inhalt, Kommunikationsstil und Thematik zur Geltung zu bringen. Man kann das als Selbstrelativierung und Aktualisierung fassen.

4) Die Aufhebung der Alternative von Ernst und Komik zugunsten einer Kunst, welche das Ernste und das Komische nicht mehr als sich ausschließende Kategorien der Darstellung und des Dargestellten aufzufassen erlaubt.

Alle diese vier Momente — der Entschluß zum Profanen, die Prosaierung, die Aktualisierung, die Gleichschaltung von Ernst und Komik — sind die wesentlichen Charakteristika von Heines letzten Gedichten. Sie treten in Rücksicht auf das 'Buch der Lieder' und die 'Neuen Gedichte' gewiß nicht schlechterdings neu hervor,

---

[49] Bertolt Brecht, *Über Lyrik*. Frankfurt a. M. ²1968 (edition suhrkamp 70). S. 91. — Genauer als auf die unter dem Titel *Der Salon* zusammengefaßten Pariser Texte Heines paßt also auf die Matratzengruft-Lyrik die Bemerkung Martin Greiners, Heine richte "sich gegen den Sakralcharakter der Sprache". (Martin Greier, *Zwischen Biedermeier und Bourgeoisie. Ein Kapitel deutscher Literaturgeschichte*. Göttingen 1953. S. 284.)

aber sie gewinnen hier eine Totalität, die es erlaubt, zu behaupten, daß in den Gedichten des *'Buchs Lazarus'* die ironisch vermittelte Antithetik von Poesie und faktischer Erfahrung in eine — sit venia verbo! — realistische Lyrik überführt wurde. Eine Lyrik, die der kontingenten Welt sogar angemessener ist als der realistische Roman; denn dem lyrischen Realismus à la Heine fehlt die Ganzheits-, d. h. latente Harmonie-Prämisse, die doch den Realismus im Roman des 19. Jahrhunderts mit wenigen Ausnahmen kennzeichnet.

Vom selben Verfasser

Humor als dichterische Einbildungskraft

Studien zur Erzählkunst des poetischen Realismus. *Theorie und Geschichte der Literatur und der Schönen Künste*, Bd. 1. 347 S. Ln. DM 48,—

"Als erster Vorzug der Preisendanzschen Arbeit fällt eine philosophische Weite des Blicks auf: Der Horizont spannt sich von Friedrich Schlegel über Solger und Hegel bis zu Claude Bernard um das Panorama der vier Dichter, die sich Preisendanz ausgewählt hat: um E.T.A. Hoffmann, Keller Fontane, Raabe. Es wird bei diesem Buch etwas schwieriger sein, auf den Gemeinplatz von der Enge der Germanistik zurückzugreifen. Noch einen anderen Einwand: daß nämlich Verteidiger der deutschen Erzähler des 19. Jahrhunderts heute nur noch aus der Geistigkeit der Gartenlaube erstehen können, bricht Preisendanz die Spitze ab."

"Die Welt der Literatur"

"Preisendanz' Untersuchungen lassen sich nicht mit einigen Formeln wiedergeben. Sein Buch ist ein erster, geglückter Versuch, die realistische Erzählkunst des 19. Jahrhunderts aus einer Perspektive zu sehen, die ihr dichtungstheoretisch wie -geschichtlich immanent ist."

"Welt und Wort"

"Es liegt ein großer Gewinn des Buches darin, wie verblaßte Formeln der Ästhetik des Realismus neu durchdacht, begründet und mit wesentlichem Gehalt aufgeladen werden: wie sie in genauer Textanalyse auf ihre dichterischen Funktionen und Leistungskräfte überprüft und konkretisiert werden. Das gibt der Realismus-Forschung und der Formgeschichte fruchtbare, originäre Impulse und zwingt, Fragen provozierend, zum Weiterdenken."

"Germanistik"

 WILHELM FINK VERLAG · MÜNCHEN

Über Heinrich Heine

Heinz Hengst: Idee und Ideologieverdacht

Revolutionäre Implikationen des deutschen Idealismus im Kontext der zeitkritischen Prosa Heinrich Heines. 171 S. kart DM 28,–
Ausgangspunkt ist die These, Heines zeitkritische Prosa sei seit den 20er Jahren in ihrer Stoßrichtung wesentlich durch Momente mitbestimmt, die er selbst später als die revolutionäre Mission des deutschen Idealismus, insbesondere der Philosophie Hegels begreift. Es wird die besondere Form ideologischer Phantasie herausgearbeitet, die es Heine gestattet, religionsgeschichtliche, geschichtsphilosophische, ideologie- und sozialkritische Themen in Prosaschriften äußerlich unterschiedlichster Thematik der immer gleichen, zentralen Zielsetzung einer umfassenden Emanzipation unterzuordnen. Da unter Berücksichtigung der für ihn typischen Kompositionsprinzipien Heines Sicht des Idealismus und der revolutionären Bewegung den Intentionen und Interpretationen der Hegelianer der Rechten und Linken gegenübergestellt wird, ergibt sich ein Bild Heines als "Hegelianer" eigener Physiognomie. Mit der geschichtlichen Entwicklung in Frankreich und Deutschland wird der Bezugsrahmen geliefert, der Heines Schwankungen in der Einschätzung emanzipatorischer Möglichkeiten und in seiner Sicht der deutschen Philosophie erklärt.

Paul Konrad Kurz: Künstler — Tribun — Apostel

Heinrich Heines Auffassung vom Beruf des Dichters. 249 S. Ln. DM 38,–
"Die Arbeit von Kurz ist grundlegend: was bisher in der Analyse des Problems nur ansatzhaft versucht wurde, führt er in weitgespannten und sicheren Untersuchungen zu einsichtigen und differenzierten Ergebnissen. Eine Arbeit, die systematisch wie historisch gleicherweise überzeugt, präzis in der Diktion und reif im Urteil." *"Welt und Wort"*

 WILHELM FINK VERLAG · MÜNCHEN

Poetik und Hermeneutik

„Von einem Gremium von Gelehrten, zu denen einige der besten Köpfe gehören, die man in der Philologie aufzuweisen hat." FAZ

1. Hans Robert Jauß, Hrsg.: Nachahmung und Illusion

Kolloquium Gießen Juni 1963, 2. Aufl. 1969. Gr. 8°. 252 S. Ln. mit Schutzumschlag DM 28,—; Paperback DM 19,80

2. Wolfgang Iser, Hrsg.: Immanente Ästhetik — Ästhetische Reflexion

Lyrik als Paradigma der Moderne. Kolloquium Köln September 1964. 1966. Gr. 8°. 543 S. und 6 Kunstdrucktafeln (davon 1 farbig), Ln. mit Schutzumschlag DM 48,—; Paperback DM 25,—

3. Hans Robert Jauß, Hrsg.: Die nicht mehr schönen Künste

Grenzphänomene des Ästhetischen. Kolloquium Lindau September 1966. 1968. Gr. 8°. 735 S. und 13 Abb. auf Kunstdruck. Ln. mit Schutzumschlag DM 58,—; Paperback DM 36,—

4. Manfred Fuhrmann, Hrsg.: Terror und Spiel

Probleme der Mythenrezeption. Kolloquium Bielefeld Oktober 1968, 1971. Gr. 8°. 732 S. und 3 Abb. auf Kunstdruck. Ln. mit Schutzumschlag DM 58,—; Paperback DM 36,—

5. Reinhart Koselleck und Wolf-Dieter Stempel, Hrsg.: Geschichte — Ereignis und Erzählung

Kolloquium Reichenau Juni 1970. 600 S. und 9 Abb. auf Kunstdruck, Ln. DM 58,—; Paperback DM 36,—

 WILHELM FINK VERLAG · MÜNCHEN

Kritische Information

Die neue Reihe bezweckt, zu erschwinglichem Preis Hand- und Arbeits-
bücher für das Studium, aber auch für den Bedarf des Oberstufen-Un-
terrichts an den Schulen bereitzustellen. An folgende Buchtypen ist dabei vorwiegend gedacht: 1. Ausgewogene Einführungen in große Fach-
gebiete; 2. Reader, in denen die maßgeblichen Beiträge zu neuen Frage-
stellungen, kommentiert und durch Register erschlossen, zusammenge-
faßt sind; 3. Kommentierte Bibliographien; 4. Fachdidaktiken; 5. Kom-
mentare zentraler Texte; 6. Erstmalige oder abschließende Gesamtdar-
stellungen von Autoren des 20. Jahrhunderts.

Als erste Bände werden erscheinen:

2. Ossip K. Flechtheim/Ernesto Grassi, Hrsg.: Marxistische Praxis

Selbtsverwirklichung und Selbstorganisation des Menschen in der Gesellschaft 232 S. kart. DM 16,80

I n h a l t : Ernesto Grassi — Idealismus, Marxismus und Humanismus;
Ossip K. Flechtheim — Die Praxisgruppe und der Humanismus; Gajo
Petrovic — Humanismus und Revolution im Denken von Karl Marx;
Prdrag Vranicki — Theoretische Begründung der Idee der Selbstverwal-
tung; Ljubomir Tadic — Sozialismus und Bürokratie; Rudi Supek —
Selbstverwirklichung und Selbstorganisation des Menschen in der Ge-
sellschaft; Radoslav Ratkovic — Chancen der Verwirklichung des Huma-
nismus in der gegenwärtigen Epoche; Christian Fenner — Die deutsche
Studentenrevolte und das Modell der jugoslawischen Arbeiterselbstver-
waltung.

3. Vladimir Karbusicky: Widerspiegelungstheorie und Strukturalismus

Zur Entstehungsgeschichte und Kritik der marxistisch-leninistischen
Ästhetik 128 S. kart. DM 12,80

Nicht nur die Auseinandersetzung eines Strukturalisten mit der marxistisch-leninistischen Ästhetik, sondern auch die Entstehungsgeschichte
ihrer sog. „Widerspiegelungslehre in der Kunst". Insbesondere die In-
haltsanalyse typischer Texte dieser Schule zeigt plastisch die logische
Verwirrung im Rahmen dieses „entgeistigten" hegelianischen Denk-
systems, das den ausschließlichen Anspruch auf Wahrheit auch mit politischer Gewalt durchsetzt. — Die erste Auflage des Buches erschien
1969 tschechisch in Prag, wurde jedoch sofort beschlagnahmt und ver-
nichtet.

 WILHELM FINK VERLAG · MÜNCHEN

6. Theodor Verweyen: Eine Theorie der Parodie

Am Beispiel Peter Rühmkorfs. 136 S. kart. DM 12,80

Eine für die literaturwissenschaftliche Verständigungspraxis selten einmütige Übereinkunft herrscht vor, wenn die Rede auf die Parodie kommt: sie sei im Bezugsrahmen von Vorwurf und Nachahmung festzumachen und zu bewerten. Als Beispiel gelungener Literatur konnte sie folglich immer nur dann gelten, wenn sie dem Sujet vergleichbare Valenzen aufwies; andernfalls machte man den Vorwurf, die Spielregeln literarischer Kommunikation seien nicht befolgt worden. — Erst ein so widerspenstiger Kopf wie Peter Rühmkorf, der jene Spielregeln partout nicht einzuhalten bereit war, machte die Mängel der bisherigen Parodie-Diskussion deutlich. Diese leidet darunter, den kommunikativen Zusammenhang von Literatur und lebensweltlichem Kontext nicht angemessen berücksichtigt zu haben.

7. Peter Haida: Komödie um 1900

Wandlungen des Gattungsschemas zwischen Hauptmann und Sternheim. 200 S. kart. DM 19.80

Hauptmann, Wedekind, Sternheim, Schnitzler, Hofmannsthal, Thoma haben bis heute mit ihren Komödien im Theaterspielplan ihren festen Platz behauptet. In seiner breitangelegten Darstellung der deutschen Lustspielproduktion von etwa 1890-1914 beschränkt sich Peter Haida aber nicht auf diese Koryphäen, sondern erfaßt auch die Stücke der Anzengruber, Halbe, Sudermann, Bahr usw. Leistung wie Zeitgebundenheit der heute noch bühnenwirksamen Komödien rückt dadurch in ein klares Licht. Ein für jeden Theaterbesucher gewinnbringendes Buch!

9. Ernst L. Offermanns: Arthur Schnitzler

Das Komödienwerk als Kritik des Impressionismus. Ca. 256 S. kart. ca. DM 28,—

Die Form der Komödie erweist sich als beherrschend für das reife Schaffen des Dramatikers Arthur Schnitzler, so daß sich von hier aus die Möglichkeit zu einer Einordnung des Gesamtwerks eröffnet. Ausführliche Hinweise auf bisher kaum bemerkte strukturelle Parallelen zum Werk Hofmannsthals, Kraus', Musils, Wedekinds, Sternheims, Kaisers, Brechts u. a. mit Ausblicken auf die Stücke von Horváth, Frisch und Dürrenmatt tun ein übriges, um Schnitzler in klar umrissenen Konturen vor uns erstehen zu lassen.

10. Wolfgang Beilenhoff, Hrsg.: Poetik des Films

Deutsche Ausgabe des Sammelbandes Moskau 1927 mit Artikeln von Tynjanov, Ejchenbaum, Schklovskij u. a., ergänzt um eine Einleitung und weitere Texte. Ca. 176 S. kart. ca. DM 16,80

 WILHELM FINK VERLAG · MÜNCHEN

UTB

Uni-Taschenbücher GmbH
Stuttgart

40. Jurij Striedter, Hrsg.: Russischer Formalismus
Texte zur allgemeinen Literaturtheorie und zur Theorie der Prosa. Einsprachig deutsche Sonderausgabe. Mit einer kommentierenden Einleitung. Zus. 345 S. DM 12,80.
ISBN 3-7705-0626-X (Fink)

103. Jurij M. Lotman: Die Struktur literarischer Texte
Übersetzt von Rolf-Dietrich Keil. 430 S. DM 12,80
ISBN 3-7705-0631-6 (Fink)

104. E. D. Hirsch: Prinzipien der Interpretation
Übersetzt von Adelaide Anne Späth. 333 S. DM 16,80
ISBN 3-7705-0632-4 (Fink)

105. Umberto Eco: Einführung in die Semiotik
Autorisierte deutsche Ausgabe von Jürgen Trabant. 474 S. mit zahlreichen Tabellen und 4 Abb. auf Kunstdruck. DM 19,80
ISBN 3-7705-0633-2 (Fink)

127. Manfred Brauneck, Hrsg.: Die rote Fahne
Kritik, Theorie, Feuilleton. Mit einem kritischen Kommentar von Manfred Brauneck. 512 S. und 16 Abb. auf Kunstdruck. DM 19,80
ISBN 3-7705-0641-3 (Fink)

131. Annamaria Rucktäschel, Hrsg.: Sprache und Gesellschaft
405 S. mit zahlreichen Tabellen im Text. DM 19,80
ISBN 3-7705-0639-1 (Fink)

136. Leo Trotzki: Literaturtheorie und Literaturkritik
Mit einer Einleitung von Ulrich Mölk. 184 S. DM 15,80
ISBN 3-7705-0637-5 (Fink)

163. Wolfgang Iser: Der implizite Leser
Kommunikationsformen des Romans von Bunyan bis Beckett. 420 S. DM 9.80
ISBN 3-7705-0793-2 (Fink)